JN040575

2025年度版

中小企業診断士

最速合格のための
第1次試験過去問題集

④ 経済学・経済政策

TAC中小企業診断士講座

TAC出版
TAC PUBLISHING Group

は じ め に

日本中小企業診断士協会連合会の発表によれば、令和6年度までの過去5年間の第1次試験の各科目の「科目合格者」等の平均値は次のようになっています。

	科目受験者数(①)	科目合格者数(②)	科目合格率(①／②)
経済学・経済政策	15,086	2,371	15.7%
財務・会計	15,251	2,352	15.4%
企業経営理論	14,884	3,993	26.8%
運営管理(オペレーション・マネジメント)	15,033	2,484	16.5%
経営法務	14,959	2,786	18.6%
経営情報システム	14,704	2,373	16.1%
中小企業経営・中小企業政策	15,761	1,910	12.1%

科目ごとに、科目合格者数および科目合格率は異なりますが、いずれにしても、「科目合格者」の存在は、同時に「科目不合格者」を生じさせる結果となっています。

初学者はもちろんのこと、不合格科目を残した受験経験者にとって、第1次試験の合格を果たすには、各科目の出題傾向を把握し、その対策を立てるということが必要となります。

受験生の皆さんは、次の言葉を一度は耳にしたことがあると思います。

> 知彼知己者　百戦不殆（彼を知り己を知れば、百戦して殆からず）

これは「孫子（謀攻篇）」にある名文句ですが、前段の「彼を知(り)る」ためには、これまでの受験生が戦ってきた「過去問」を活用することが必要です。

戦う相手を研究して熟知することは、スポーツや企業活動などの「戦いの場」では当然必要だ、ということはよくご理解いただけると思います。これは試験においても同様で、戦う相手である「試験委員」が作成した「問題」の研究は、勝つためには必要不可欠な作業だと考えてください。

また、「過去問」の活用目的として「己を知る」ということがあります。本試験の出題傾向や内容は極端に変化するものではありません。ですから、受験生の皆さんが常日頃取り組まれている学習の成果を測定するためのひとつの手段として「過去問」

を活用し、その成果をさらなる実力向上につなげていくことが必要であると理解してください。

　先程引用した「孫子」の名文句の後には「不知彼不知己　毎戰必殆（彼を知らず己を知らざれば、戦う毎に必ず殆し）」という文が続いています。受験生の皆さんが取り組む戦いでこのような事態にならないように、相手である「本試験（過去問）」をよく研究し、さらに、普段の学習成果の目安として「過去問」を役立てていただければ、本試験での「勝利」は間違いないと確信しています。

2024 年 10 月
ＴＡＣ中小企業診断士講座
講師室、事務局スタッフ一同

本書の利用方法

　本書には、過去 5 年分の第 1 次試験の問題と詳細な解説を収載しています。

1．本書の問題には、学習における目安として、以下のマークを付していますので、参考としてください。

★ 重要 ★	基本的な論点だったり、過去に繰り返し出題されたりするなど、重要度の高い問題です。過去問はひと通り解くことが望ましいですが、時間的に余裕のない方は、このマークのある問題を優先的に解くとよいでしょう。
参考問題	出題年度以降に法律や制度改正があり、正解肢が変わったり、なくなったりした問題等を示しています。これらの問題は、今年度の第 1 次試験対策としてふさわしくない問題となりますので、出題形式や出題論点を確認する程度の利用にとどめていただければよいでしょう。

2．各年度の解説の冒頭に、解答・配点・ＴＡＣ データリサーチによる正答率の一覧表を載せています。学習の際の参考としてください。

3．巻末に、「出題傾向分析表」を載せています。出題領域の区分は、弊社刊の「最速合格のためのスピードテキスト」の章立てに対応しているので、復習する際に便利です。

中小企業診断士
第1次試験
経済学・経済政策

▶ 目　次 ◀

令和 **6** 年度問題

Questions

令和 6 年度 問題

第1問

　下図は、日本の2022年の名目国内総支出（559兆7,101億円）の内訳を示したものである。

　図中のA〜Cに該当する項目の組み合わせとして、最も適切なものを下記の解答群から選べ。

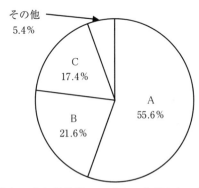

　　注：「その他」の中に純輸出のマイナス分がカウントされている。

　　出所：内閣府「2022年度国民経済計算（2015年基準・2008 SNA）」

[解答群]
ア　A：政府最終消費支出　　　　　　　B：民間最終消費支出
　　C：一般政府の総固定資本形成

イ　A：政府最終消費支出　　　　　　　B：民間最終消費支出
　　C：非金融法人企業の総固定資本形成

ウ　A：民間最終消費支出　　　　　　　B：一般政府の総固定資本形成
　　C：非金融法人企業の総固定資本形成

エ　A：民間最終消費支出　　　　　　　B：政府最終消費支出
　　C：一般政府の総固定資本形成

オ　A：民間最終消費支出　　　　　　　B：政府最終消費支出
　　C：非金融法人企業の総固定資本形成

下図は、日本、米国、韓国、OECD平均の1人当たり労働生産性（購買力平価換算USドル表示）の推移を示したものである。

図中のa～cに該当する国の組み合わせとして、最も適切なものを下記の解答群から選べ。

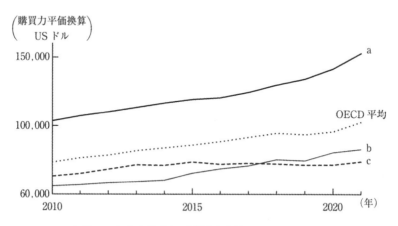

出所：日本生産性本部『労働生産性の国際比較2023』

[解答群]

ア　a：韓国　　　b：米国　　　c：日本

イ　a：日本　　　b：韓国　　　c：米国

ウ　a：日本　　　b：米国　　　c：韓国

エ　a：米国　　　b：韓国　　　c：日本

オ　a：米国　　　b：日本　　　c：韓国

下図は、日本、米国、ユーロ圏の消費者物価（食料及びエネルギーを除く総合、前年比、％）の推移を示したものである。

図中のa～cに該当する国・地域の組み合わせとして、最も適切なものを下記の解答群から選べ。

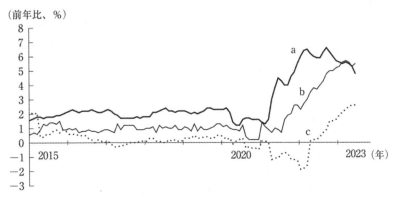

（前年比、％）

出所：内閣府『令和5年度　経済財政白書』

[解答群]

ア　a：日本　　　　b：米国　　　　c：ユーロ圏

イ　a：米国　　　　b：日本　　　　c：ユーロ圏

ウ　a：米国　　　　b：ユーロ圏　　c：日本

エ　a：ユーロ圏　　b：日本　　　　c：米国

オ　a：ユーロ圏　　b：米国　　　　c：日本

第4問　★重要★

国民経済計算の考え方に関する記述として、最も適切なものはどれか。

ア　GDPは、中間生産物の生産額の合計である。

イ　GDPは、分配面から、要素所得、移転支払による所得、キャピタルゲインに区分される。

ウ　高等学校の授業料を無償化すると、無償化された授業料の分だけGDPが減少する。

エ　子どもが家庭内で家事を担ったとしても、GDPには計上されない。

下図は、ケインズ型消費関数を直線*AB*によって描いている。この図に関する記述の正誤の組み合わせとして、最も適切なものを下記の解答群から選べ。

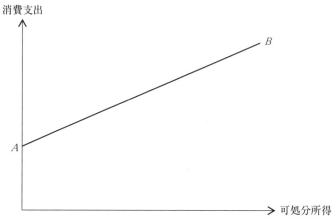

a 可処分所得が大きいほど限界消費性向が小さくなるので、高所得者ほど所得に占める消費額の割合が小さくなる。

b 可処分所得が増加するとき、限界消費性向は一定であるが、平均消費性向は小さくなる。

c この消費関数の傾きは、1よりも大きい。

[解答群]

ア a：正 b：正 c：誤

イ a：正 b：誤 c：誤

ウ a：誤 b：正 c：正

エ a：誤 b：正 c：誤

オ a：誤 b：誤 c：正

貨幣需要に関する記述の正誤の組み合わせとして、最も適切なものを下記の解答群から選べ。

a 貨幣は流動性が高いので、利子率の上昇によって取引動機による貨幣需要は増加する。

b 現金は物価上昇によって価値が増加するので、利子率の上昇によって資産選択の動機による貨幣需要は減少する。

c 現金は安全性の高い金融資産であり、利子率の上昇によって資産選択の動機による貨幣需要は減少する。

d 将来の不確実性が高いと見込まれるとき、利子率の上昇は予備的な動機による貨幣需要を増加させる。

[解答群]

ア a:正　b:誤　c:誤　d:正

イ a:誤　b:正　c:正　d:誤

ウ a:誤　b:正　c:誤　d:誤

エ a:誤　b:誤　c:正　d:誤

オ a:誤　b:誤　c:誤　d:正

第7問　★重要★

生産物市場の均衡条件が以下のように表されるとき、減税の乗数効果を大きくするものとして、最も適切なものを下記の解答群から選べ。

生産物市場の均衡条件　$Y = C + I + G$

消費関数　$C = C_0 + c(Y - T)$

投資支出　$I = I_0$

政府支出　$G = G_0$

ただし、Y は所得、C は消費支出、C_0 は基礎消費、c（$0 < c < 1$）は限界消費性向、T は租税、I は投資支出、G は政府支出である。

[解答群]

ア 基礎消費の増加

イ 限界消費性向の上昇

ウ 限界貯蓄性向の上昇

エ 政府支出の増加

オ 投資支出の増加

　★重要★

財政の自動安定化装置（ビルトイン・スタビライザー）としての機能が比較的強いと想定される税の仕組みとして、最も適切な組み合わせを下記の解答群から選べ。

a　利潤に対して累進的に課せられる法人所得税

b　全ての人に同額が課せられる定額税

c　生活必需品に対して課せられる消費税

d　一定額までの所得には課税を免除する個人所得税

[解答群]
ア　aとb　　イ　aとc　　ウ　aとd　　エ　bとc　　オ　bとd

第9問　★重要★

日本（円）と米国（ドル）を例にして、為替レートの決定を考える。為替レートの決定に関する記述として、最も適切な組み合わせを下記の解答群から選べ。

a　輸出の増加によって日本の経常収支の黒字が拡大すると、為替レートには円高ドル安の圧力が働く。

b　輸出の増加によって日本の経常収支の黒字が拡大すると、為替レートには円安ドル高の圧力が働く。

c　米国の金融資産の収益率が高くなることで日米の金融資産の収益率の格差が拡大すると、日本の金融収支は赤字になり、為替レートには円高ドル安の圧力が働く。

d　米国の金融資産の収益率が高くなることで日米の金融資産の収益率の格差が拡大すると、日本の金融収支は黒字になり、為替レートには円安ドル高の圧力が働く。

[解答群]
ア　aとc　　イ　aとd　　ウ　bとc　　エ　bとd

第10問　★重要★

　下図によって、完全資本移動かつ小国のマンデル＝フレミング・モデルを考える。政府支出拡大の効果に関する記述として、最も適切な組み合わせを下記の解答群から選べ。

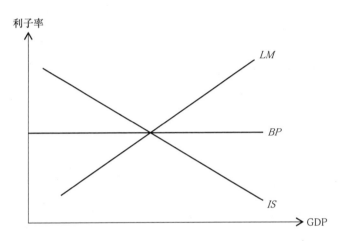

a　この国が為替レートを維持しようとするならば、政府支出の拡大は、為替レート維持のための自国通貨の売り介入に伴う貨幣供給の増加と相まって、自国のGDPを増加させることができる。

b　この国が為替レートを維持しようとするならば、政府支出を拡大させても、為替レート維持のための自国通貨の買い介入に伴う貨幣供給の減少と相まって、自国のGDPを減少させてしまう。

c　この国が為替レートの変動を市場に任せるとき、政府支出を拡大させても、その効果は資本流入の増加による自国通貨高によって完全なクラウディング・アウトが生じ、自国のGDPは増加しない。

d　この国が為替レートの変動を市場に任せるとき、政府支出の拡大は、為替レートを減価させ、自国のGDPを増加させる。

［解答群］
ア　aとc　　イ　aとd　　ウ　bとc　　エ　bとd

下図のように*IS*曲線と*LM*曲線が描かれるとする。ただし、Y_0は、完全雇用GDPであるとする。

この図に基づき、下記の設問に答えよ。

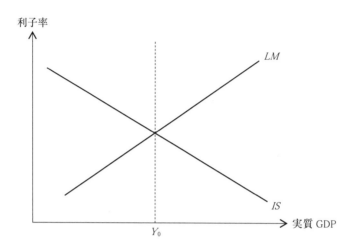

設問1 ● ● ●

政府支出増加の長期的な効果に関する記述の正誤の組み合わせとして、最も適切なものを下記の解答群から選べ。

a　実質GDPを増加させる。

b　物価を上昇させる。

c　利子率を上昇させる。

[解答群]

ア　a：正　　b：正　　c：正

イ　a：正　　b：正　　c：誤

ウ　a：正　　b：誤　　c：誤

エ　a：誤　　b：正　　c：正

オ　a：誤　　b：正　　c：誤

設問2 ● ● ● ●

名目貨幣供給量増加の長期的な効果に関する記述の正誤の組み合わせとして、最も適切なものを下記の解答群から選べ。

a　実質GDPを増加させる。

b　物価を上昇させる。

c　利子率を低下させる。

[解答群]

ア　a：正　　b：正　　c：正

イ　a：正　　b：正　　c：誤

ウ　a：正　　b：誤　　c：誤

エ　a：誤　　b：正　　c：正

オ　a：誤　　b：正　　c：誤

第12問

自然失業率仮説に関する記述の正誤の組み合わせとして、最も適切なものを下記の解答群から選べ。

a　現実のインフレ率が期待インフレ率を上回るとき、失業率は自然失業率よりも高くなる。

b　自然失業率仮説によると、長期的に失業率は、自発的失業を含めて、ゼロになる。

c　長期的には、政府支出の増加はインフレを抑制し、失業率を低下させる。

d　失業率が自然失業率に等しいとき、現実のインフレ率は期待インフレ率と等しくなる。

[解答群]

ア　a：正　　b：正　　c：誤　　d：正

イ　a：正　　b：誤　　c：誤　　d：正

ウ　a：誤　　b：正　　c：正　　d：誤

エ　a：誤　　b：正　　c：誤　　d：正

オ　a：誤　　b：誤　　c：誤　　d：正

需要の価格弾力性（絶対値）に関する記述の正誤の組み合わせとして、最も適切なものを下記の解答群から選べ。

a　ある財について、価格の変化率（絶対値）がそれに伴う需要量の変化率（絶対値）に比べて大きいほど、需要の価格弾力性も大きくなる。

b　代替品が豊富な財は、代替品に乏しい財に比べて、需要の価格弾力性は大きくなる。

c　ある財の需要曲線が一定の価格水準において水平である場合、この財の需要の価格弾力性はゼロである。

d　ある財の需要曲線が右下がりの直線である場合、この財の需要の価格弾力性は、価格水準にかかわらず一定である。

[解答群]

ア　a：正　　b：正　　c：誤　　d：正

イ　a：正　　b：正　　c：誤　　d：誤

ウ　a：正　　b：誤　　c：正　　d：正

エ　a：誤　　b：正　　c：誤　　d：正

オ　a：誤　　b：正　　c：誤　　d：誤

第14問　　★重要★

下図は、ある個人の予算制約線を描いている。当初の予算制約線は*AB*であり、このとき、この個人は点*E*で決まる数量の*X*財と*Y*財を消費している。所得の増加によって予算制約線は*CD*となり、このとき、この個人は点*F*で決まる数量の*X*財と*Y*財を消費している。

この図に関する記述の正誤の組み合わせとして、最も適切なものを下記の解答群から選べ。

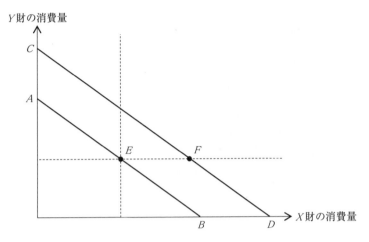

a　X財の所得効果は、負である。

b　X財の所得弾力性は、正である。

c　Y財の所得効果は、負である。

d　Y財の所得弾力性は、ゼロである。

[解答群]

ア	a：正	b：誤	c：正	d：誤
イ	a：正	b：誤	c：誤	d：正
ウ	a：誤	b：正	c：正	d：誤
エ	a：誤	b：正	c：誤	d：正
オ	a：誤	b：正	c：誤	d：誤

第15問　★重要★

　下図は、労働と資本の価格および生産技術水準が一定で、かつ完全競争市場の下で２つの等費用線と等産出量曲線を示している。

　この図に関する記述の正誤の組み合わせとして、最も適切なものを下記の解答群から選べ。

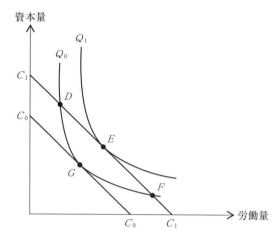

資本量

C_1

C_0

Q_0 Q_1

D

E

G

F

労働量

C_0 C_1

a 点Eは点Dと比べて、産出量は同じであるが、総要素費用はより少ない。

b 点Gは点Dと比べて、技術的限界代替率は同じであるが、産出量はより少ない。

c 総要素費用を一定とした場合、点Fでは、労働量を減らし資本量を増やすことで利潤を多くできる。

d 産出量を一定とした場合、点Dでは、資本量を減らし労働量を増やすことで最適生産を達成できる。

[解答群]

ア a：正　　b：正　　c：正　　d：誤

イ a：正　　b：誤　　c：誤　　d：正

ウ a：誤　　b：正　　c：正　　d：正

エ a：誤　　b：正　　c：誤　　d：誤

オ a：誤　　b：誤　　c：正　　d：正

第16問

短期の完全競争市場下における価格と企業の生産との関係を考える。下図には、ある財の生産に関する限界費用曲線MC、平均費用曲線ACおよび平均可変費用曲線AVCが描かれており、価格が与えられると企業は最適生産を実現するものとする。ただし、P_1はACの最小値、P_3はAVCの最小値に対応している。

この図に基づいて、下記の設問に答えよ。

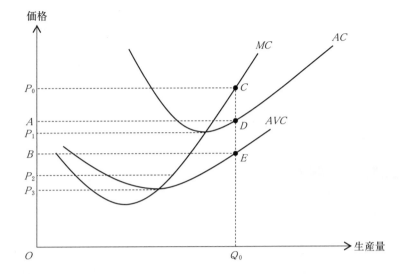

設問1 ● ● ●
価格がP_0のときの生産者余剰として、最も適切なものはどれか。

ア　四角形$ABED$

イ　四角形AOQ_0D

ウ　四角形BOQ_0E

エ　四角形P_0ADC

オ　四角形P_0BEC

設問2 ● ● ●　★重要★
この図に関する記述の正誤の組み合わせとして、最も適切なものを下記の
解答群から選べ。

a　価格がP_1のとき、企業の総収入は可変費用と固定費用の合計に等しくなる。

b　価格がP_2のとき、企業の損失は固定費用の一部のみとなる。

c　価格がP_3のとき、企業の損失は可変費用のみとなる。

[解答群]

ア　a：正　　b：正　　c：正

イ　a：正　　b：正　　c：誤

ウ　a：正　　b：誤　　c：誤

エ　a：誤　　b：正　　c：正

オ　a：誤　　b：誤　　c：誤

第17問　★ 重要 ★

　下図は、ある財の生産販売を1社が完全に独占した市場を示している。この財の需要曲線が*D*であり、*MC*が生産者の限界費用、*MR*が同じく限界収入である。ここで、独占企業は利潤を最大化するように、価格と生産量を決定するものとする。

　この図に基づき、独占均衡に関する記述の正誤の組み合わせとして、最も適切なものを下記の解答群から選べ。

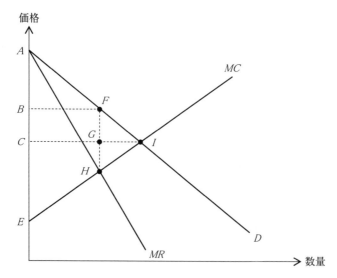

a　企業は価格を*C*とすることで利潤を最大化できる。

b　消費者余剰は、三角形*ABF*である。

c　生産者余剰は、四角形*CEHG*である。

d　このとき生じる死荷重は、三角形*FGI*である。

16

[解答群]

ア	a：正	b：正	c：誤	d：正
イ	a：正	b：誤	c：正	d：正
ウ	a：正	b：誤	c：正	d：誤
エ	a：誤	b：正	c：正	d：正
オ	a：誤	b：正	c：誤	d：誤

第18問

　下図は、ある観光資源に関する消費の外部不経済を示している。観光客の増加に伴う交通渋滞やゴミの投棄など、観光資源の消費は近隣の環境や住民に無視できない損害を生じさせる場合がある。観光資源に対する消費者（観光客）の限界価値曲線はD_0であるが、第三者への損害を考慮した場合の社会的限界価値曲線はD_1である。

　この図に関する記述として、最も適切な組み合わせを下記の解答群から選べ。

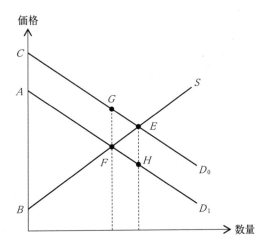

a　完全競争市場での均衡下で生じる死荷重は、四角形*GFHE*である。

b　完全競争市場での均衡下での外部不経済は、四角形*CAHE*である。

c　社会的に最適な消費が実現したときの社会的余剰は、四角形*CBFG*である。

d　社会的に最適な消費が実現したときの外部不経済は、四角形*CAFG*である。

[解答群]

ア　aとb　　イ　aとd　　ウ　bとc　　エ　bとd

第19問　★重要★

　家計が消費する財・サービスは、①消費が競合するかどうか（競合性）と、②対価を支払わない人の消費を排除できるかどうか（排除可能性）に基づき、下表のとおり４つに分類できる。表中のＡとＢに入る財・サービスの例として、最も適切な組み合わせを下記の解答群から選べ。

消費に関する性質	競合する	競合しない
排除可能		A
排除不可能	B	

[解答群]

ア　A：公海に生息する魚介類

　　B：混雑現象を伴わない有料道路

イ　A：公海に生息する魚介類

　　B：晴れた日の日光浴

ウ　A：晴れた日の日光浴

　　B：有料配信のオンライン視聴サービス

エ　A：有料配信のオンライン視聴サービス

　　B：混雑現象を伴う一般道路

オ　A：有料配信のオンライン視聴サービス

　　B：晴れた日の日光浴

第20問

　労働市場を示した下図において、Dは労働需要曲線、Sは労働供給曲線であり、点Eで均衡し、そのときの均衡賃金率はW_0、均衡労働量はN_0である。

　この図に基づいて、下記の設問に答えよ。

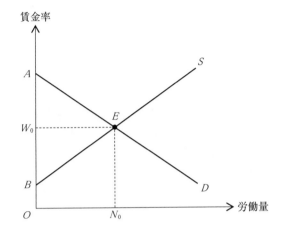

設問1 ● ● ●

均衡賃金率の上昇を引き起こす要因の組み合わせとして、最も適切なもの
を下記の解答群から選べ。

a　労働と補完的な生産技術水準の向上

b　雇用環境の改善に伴う労働の限界不効用の低下

c　企業による資本投入量の増加

d　出生率の上昇に伴う生産年齢人口の増加

[解答群]
ア　aとc　　イ　aとd　　ウ　bとc　　エ　bとd　　オ　cとd

設問2 ● ● ●　★重要★

この図に関する記述として、最も適切な組み合わせを下記の解答群から選
べ。

a　労働者に帰属する余剰は、三角形AW_0Eである。

b　労働者の機会費用は、四角形AON_0Eである。

c　企業の労働費用は、四角形W_0ON_0Eである。

d　企業に帰属する余剰は、三角形AW_0Eである。

第21問

　　下図は、課税と給付を組み合わせた負の所得税の効果を考えるため、縦軸に可処分所得、横軸に当初所得を測り、45度線の直線*OD*を描いている。また、可処分所得（Y_d）を示した直線*AC*は、

　　$Y_d = Y（1 - t）+ A$

で定義され、*Y*は当初所得、*t*は比例税率、*A*は定額給付を表している。

　　この図に関する記述として、最も適切な組み合わせを下記の解答群から選べ。

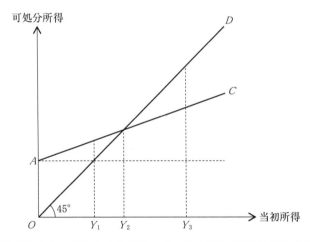

a　当初所得が*O*からY_2に増大するに従って、個人の純給付額は増加する。

b　当初所得が*O*からY_1に増大すると、個人の可処分所得は増加する。

c　当初所得がY_1のとき、当初所得と可処分所得の金額は等しくなる。

d　当初所得がY_3のとき、追加的な所得に対して税が課されている。

[解答群]
ア　bとb　　イ　aとc　　ウ　aとd　　エ　bとc　　オ　bとd

20

第22問

下表に従って、比較生産費説に基づく国際分業を考える。カカオ１単位を生産するのに必要な労働量は、Ａ国では５、Ｂ国では４である。同様に、大豆１単位を生産するのに必要な労働量は、Ａ国では10、Ｂ国では２である。労働は両国で同質で、当初はどちらの国もカカオと大豆をそれぞれ40単位ずつ生産していたものとする。

このような状況に関する記述の正誤の組み合わせとして、最も適切なものを下記の解答群から選べ。

	Ａ国	Ｂ国
カカオ１単位当たりの労働量	5	4
大豆１単位当たりの労働量	10	2

a　Ａ国におけるカカオ１単位の機会費用は、大豆２単位である。

b　Ｂ国における大豆のカカオに対する相対価格は、Ａ国のそれよりも高い。

c　Ｂ国で２つの財の生産に必要となる労働量の合計は240である。

d　当初の労働量を維持しながら、Ａ国がカカオの生産に、Ｂ国が大豆の生産にそれぞれ完全特化したとき、各国におけるカカオと大豆の生産量はどちらも120となる。

[解答群]

ア　a：正　　b：正　　c：誤　　d：誤

イ　a：正　　b：誤　　c：正　　d：誤

ウ　a：誤　　b：正　　c：正　　d：誤

エ　a：誤　　b：誤　　c：正　　d：正

オ　a：誤　　b：誤　　c：誤　　d：正

令和 **6** 年度
解答・解説

nswers

令和 **6** 年度 解答

問題	解答	配点	正答率※	問題		解答	配点	正答率※	問題		解答	配点	正答率※
第1問	オ	4	C	第11問	(設問1)	エ	4	E	第19問		エ	4	B
第2問	エ	4	A		(設問2)	オ	4	E	第20問	(設問1)	ア	4	D
第3問	ウ	4	B	第12問		オ	4	C		(設問2)	オ	4	C
第4問	エ	4	A	第13問		オ	4	C	第21問		オ	4	C
第5問	エ	4	B	第14問		エ	4	B	第22問		エ	4	C
第6問	エ	4	C	第15問		オ	4	B					
第7問	イ	4	A	第16問	(設問1)	オ	4	E					
第8問	ウ	4	B		(設問2)	イ	4	B					
第9問	イ	4	C	第17問		オ	4	A					
第10問	ア	4	B	第18問		エ	4	B					

※TACデータリサーチによる正答率
　正答率の高かったものから順に、A～Eの5段階で表示。
A：正答率80％以上　　　　　B：正答率60％以上80％未満　　　C：正答率40％以上60％未満
D：正答率20％以上40％未満　E：正答率20％未満

解答・配点は一般社団法人日本中小企業診断士協会連合会の発表に基づくものです。

 令和 **6** 年度
解説

　ＴＡＣデータリサーチによる平均点は55.7点となっており、令和5年度の59.2点から3.5点の下降である。

　出題領域の構成は、マクロ経済学の問題数が1問多く、令和2年度と同様の構成となっている。出題形式は令和4年度を踏襲したものとなった。5択の問題は23問から21問へと減少した。

　マクロ経済学については、過去に出題されているテーマを応用したものが多かった。統計データに関する問題は、本年は3問であり昨年と同数であった。内閣府「2022年度国民経済計算（2015年基準・2008SNA）」、日本生産性本部「労働生産性の国際比較2023」、内閣府「令和5年度　経済財政白書」からの出題であった。第4問（国民経済計算）、第5問（ケインズ型消費関数）、第7問（租税乗数）は対応しやすかったように思われる。逆に、第11問（IS-LM分析）は対応が難しかったかもしれない。

　ミクロ経済学については、多くの問題が重要論点からの出題であり、合格点を確保するために正解したい問題が多かったように思われる。第13問（需要の価格弾力性）、第15問（等費用線・等産出量曲線）、第16問（設問2）（完全競争企業の費用構造）、第17問（独占）、第18問（外部不経済）、第19問（公共財）、第20問（設問2）（余剰分析）、第22問（比較生産費説）は過去繰り返し出題されている論点であった。

　例年の繰り返しとなるが、テキストの丸暗記というよりは、理論を十分に理解し、問題への対応プロセスを習得するというような、理解を中心とした学習が効果的であると思われる。さらに、理解の確認、思考の定着、本試験での対応力を高めるために過去の本試験問題を中心とした演習を繰り返し行うことが重要である。

日本の2022年の名目国内総支出の内訳に関する問題である。

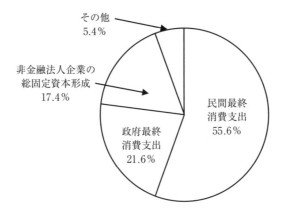

注：「その他」の中に純輸出のマイナス分がカウントされている。

出所：内閣府『2022年度国民経済計算（2015年基準：2008SNA）』

2021年時点、名目ベース

※解説の便宜上、一部加筆・修正。

2022年の暦年の民間最終消費支出は311,062.5兆円であり、その構成比は55.6％である。また、政府最終消費支出は120,880.7兆円であり、その構成比は21.6％である。さらに、非金融法人企業の総固定資本形成は97,341.6兆円であり、その構成比は17.4％である。なお、一般政府の総固定資本形成は21,819.7兆円であり、その構成比は3.9％である。

よって、**A**＝民間最終消費支出、**B**＝政府最終消費支出、**C**＝非金融法人企業の総固定資本形成となり、**オ**が正解である。

第2問

日本、米国、韓国、OECD平均の１人当たり労働生産性（購買力平価換算USドル表示）の推移に関する問題である。

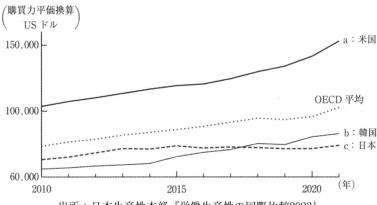

2021年において、**c**の日本の1人当たり労働生産性は81,510ドルであり、OECD加盟38国中29位である。また、2021年において**a**の米国は152,805ドルであり、OECD平均よりも高い。さらに、2021年において**b**の韓国は89,634ドルであり、日本よりも高くなっている。

よって、**a**は米国、**b**は韓国、**c**は日本が該当するため、**エ**が正解である。

第3問

日本、米国、ユーロ圏の消費者物価（食料及びエネルギーを除く総合、前年比、％）の推移に関する問題である。

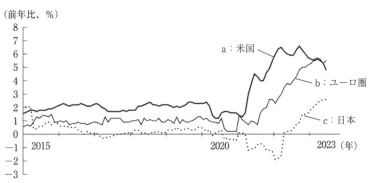

出所：内閣府『令和5年度 経済財政白書』

※解説の便宜上、一部加筆・修正。

cの日本は低い上昇率で推移してきたが、aの米国やbのユーロ圏と比べると緩やかな上昇にとどまっているものの、2022年半ばから上昇に転じている。米国とユーロ圏を比較すると、総じて米国のほうが上昇率は高い。

よって、aは米国、bはユーロ圏、cは日本が該当するため、**ウ**が正解である。

第4問

国民経済計算に関する問題である。

ア ✕：GDPはある国において一定期間内に生み出された**付加価値**の合計額である。付加価値は、生産額から原材料などの中間投入額を差し引いたものである。

イ ✕：要素所得とは、雇用者所得と営業余剰を合計したものであり、これに**固定資本減耗**と**間接税－補助金**を加えたものがGDPになる。

ウ ✕：高等学校の授業料を無償化すると、家計の最終消費支出は減少するが、政府最終消費支出はその分だけ増加するため、**GDPに影響を与えない**と考えられる。

エ 〇：正しい。GDPに計上されるのは、基本的に新たに生み出された付加価値であって市場で取引される財・サービスであり、家事労働や中古品の売却収入はGDPに含まれない。

よって、**エ**が正解である。

第5問

消費関数に関する問題である。ケインズ型の消費関数は租税を考慮すると以下のように表される。

$C = c(Y - T) + C_0$ …①

（C：今期の消費、Y：今期の国民所得、c：限界消費性向、T：租税、C_0：独立消費）

①式の（$Y - T$）は可処分所得を表し、本問では横軸が可処分所得であるため、その係数であるcが直線の傾き、切片はC_0である。

なお、結論は変わらないため、本問では定額税を想定する。また、国民所得に占める消費の割合を平均消費性向といい、原点と消費曲線上の点を結んだ直線の傾きで表される。

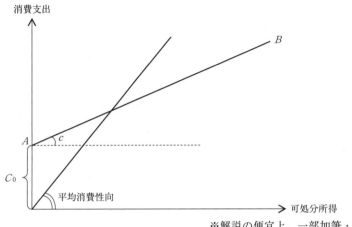

消費支出

B

A c

C_0

平均消費性向

可処分所得

※解説の便宜上、一部加筆・修正。

a ✕：限界消費性向は消費関数の傾きであり、傾きは一定であるため、**限界消費性向は一定である**。高所得者ほど所得に占める消費額の割合（平均消費性向）が小さくなることは正しい。

b 〇：正しい。消費関数の傾きが一定であるため、限界消費性向は一定である。また、平均消費性向が小さくなることは、原点と消費曲線上の点を結んだ直線の傾きで確認できる。

c ✕：傾きが1のとき、45度の直線になる。消費関数の傾きである限界消費性向は $0 < c < 1$ を想定するため、この消費関数の傾きは、1よりも**小さい**。

よって、**a** = 「誤」、**b** = 「正」、**c** = 「誤」となり、**エ**が正解である。

第6問

貨幣需要に関する問題である。貨幣需要には取引需要、投機的需要がある。

取引需要は取引に伴う支払い手段としての需要であり、国民所得が増加すると貨幣の取引需要は増加する。

投機的需要は貨幣を資産として保有しようとする需要である。経済学において資産は貨幣と債券の2種類のみであると仮定する。利子率が低下すれば流動性の高い貨幣で保有したほうが有利であり、貨幣の投機的需要は増加する。逆に、利子率が上昇すれば債券で保有したほうが有利であり、貨幣の投機的需要は減少する。

予備的需要は将来の不測の事態に備えて貨幣を保有しようとする需要であり、ケインズは取引需要と予備的需要は性質が似ているとして取引需要に含めている。

a ✕：貨幣は流動性（財や貨幣との交換の容易さ）が高いことは正しい。利子率が

上昇すると**資産選択の動機による貨幣需要（投機的需要）は減少する**。

b **✕**：現金は物価上昇によって価値が**減少する**。利子率の上昇によって資産選択の動機による貨幣需要が減少することは正しい。

c **◯**：正しい。現金は安全性の高い（債券と比べて）金融資産である。利子率が上昇すると資産選択の動機による貨幣需要は減少する。

d **✕**：将来の不確実性が高いと見込まれるとき、予備的需要は増加する。しかし、予備的需要は取引需要に含めており、利子率の上昇は予備的な動機による貨幣需要を**増加させるとはいえない**。

よって、**a** =「誤」、**b** =「誤」、**c** =「正」、**d** =「誤」となり、**エ**が正解である。

第7問

乗数理論に関する問題である。

$Y = C + I + G$に$C = C_0 + c\ (Y - T)$、$I = I_0$、$G = G_0$を代入する。

$Y = C_0 + c\ (Y - T)\ + I_0 + G_0$

$Y = C_0 + cY - cT + I_0 + G_0$

$Y - cY = C_0 - cT + I_0 + G_0$

$Y\ (1 - c)\ = C_0 - cT + I_0 + G_0$

$Y = \dfrac{1}{1 - c}\ (C_0 - cT + I_0 + G_0)$

これより、租税乗数は$\dfrac{-c}{1 - c}$である。

cは限界消費性向であり、**限界消費性向が上昇すると減税の乗数効果を表す** $\dfrac{c}{1 - c}$**が大きくなる**。

よって、**イ**が正解である。

第8問

財政の自動安定化装置に関する問題である。自動安定化装置とは、現行の制度の中に組み込まれている有効需要の調整機能のことであり、自動的に経済を安定化させるよう働くものである。例えば、累進課税制度がある。所得が高くなるほど税率が高くなり、国民所得の増加を抑制して景気の過熱を防ぐ。本問においては、**法人所得税や個人所得税が該当する**と考えられる。

よって、**a**と**d**の組み合わせである**ウ**が正解である。

第9問

　為替レートの決定に関する問題である。本問においてはフローアプローチとアセットアプローチが問われている。

　フローアプローチは短期的な視点で貿易が外国為替の需要と供給に影響を与えると考える。日本から米国への輸出について、日本の企業は、輸出品の対価としてドルで支払いを受けるが、受け取ったドルを売って円に換算する必要があるため、輸出が増えると円の需要が増加し、円高ドル安の圧力が働く。

　次にアセットアプローチは超短期的な視点で各国の資産の収益率の違いから外国為替の需要と供給に影響を与えると考える。たとえば、米国の利子率が日本の利子率よりも高い場合、米国の債券に投資するためドルの需要が増加し、円安ドル高の圧力が働く。

a　**○**：正しい。輸出が増えると円の需要が増加し、円高ドル安の圧力が働く。

b　**✕**：**a**を参照。

c　**✕**：米国の金融資産の収益率が高くなることで、ドルの需要が増加し、**円安ドル高の圧力が働く。**

d　**○**：正しい。**c**を参照。

　よって、**a**と**d**の組み合わせが正しく、**イ**が正解である。

第10問

　マンデル＝フレミング・モデルに関する問題である。

●為替レートを維持しようとする場合

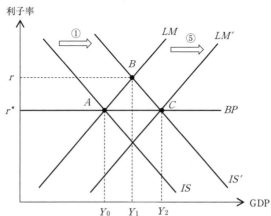

①　拡張的財政政策により*IS*曲線が右方にシフトし、国内利子率（*r*）が上昇する。

② 海外から国内へ資本流入が起こる（資本収支は黒字）。

③ 為替市場では、円買いドル売りが進む。

④ 為替レートを維持するため通貨当局が円を売りドルを買う。

⑤ 自国通貨の流通量が増加するため、マネーサプライが増加し、*LM*曲線が右方へシフトする。

⑥ GDPが大幅に増加する。

●為替レートの変動を市場に任せる場合

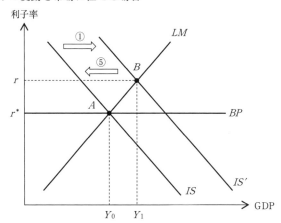

① 拡張的財政政策により*IS*曲線が右方にシフトし、国内利子率（*r*）が上昇する。

② 海外から国内へ資本流入が起こる（資本収支は黒字）。

③ 為替市場では、円買いドル売りが進む。

④ 変動相場制のもと、為替レートが円高ドル安になる。

⑤ 輸出が減少、輸入が増加し（経常収支は赤字）、*IS*曲線が左方へシフト（生産物市場の需要が減少）する。

⑥ GDPは当初の水準に戻ってしまう。

a　○：正しい。

b　✕：この国が為替レートを維持しようとするならば、政府支出を拡大させても、為替レート維持のための自国通貨の**売り介入**に伴う貨幣供給の増加と相まって、自国のGDPを**増加**させることができる。

c　○：正しい。

d　✕：この国が為替レートの変動を市場に任せるとき、政府支出の拡大は、**為替レートを増価**させ、自国のGDPは**増加しない**。

よって、**a**と**c**が正しく、**ア**が正解である。

第11問

*IS-LM*分析に関する問題である。*IS*曲線と*LM*曲線が完全雇用GDPで均衡していることに注意したい。

設問1 ● ● ●

政府支出増加の長期的な効果に関する問題である。

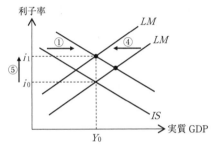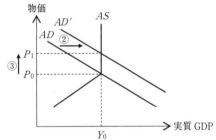

※解説の便宜上、一部加筆・修正。

① 拡張的財政政策により、*IS*曲線が右方へシフトする。

② 政府支出の増加は総需要の拡大を生じさせ、*AD*曲線が右方へシフトする。

③ *AD*曲線の右方シフトによって、物価が上昇する。

④ 物価の上昇によって、実質貨幣供給量が減少し、*LM*曲線が左方へシフトする。

⑤ 完全雇用GDPで均衡し、当初の水準より利子率は上昇する。

a ✕：実質GDPは完全雇用で均衡し、**増加しない。**

b ◯：正しい。

c ◯：正しい。

よって、**a** =「誤」、**b** =「正」、**c** =「正」となり、**エ**が正解である。

設問2 ● ● ●

　名目貨幣供給量増加の長期的な効果に関する問題である。

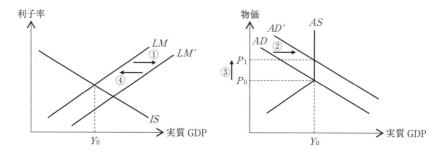

※解説の便宜上、一部加筆・修正。

① 名目貨幣供給量の増加により、LM曲線が右方へシフトする。

② 名目貨幣供給量の増加は総需要の拡大を生じさせ、AD曲線が右方へシフトする。

③ AD曲線の右方シフトによって、物価が上昇する。

④ 物価の上昇によって、実質貨幣供給量が減少し、LM曲線が左方へシフトする。

⑤ 完全雇用GDPで均衡し、当初の水準と同じになる。

a ✕：実質GDPは完全雇用で均衡し、**増加しない。**

b ○：正しい。

c ✕：利子率は**不変である。**

　よって、**a**＝「誤」、**b**＝「正」、**c**＝「誤」となり、**オ**が正解である。

第12問

　自然失業率仮説に関する問題である。自然失業率仮説とは、古典派の流れを汲むマネタリストが提唱した説で、物価上昇率にかかわらず長期的には失業率が自然失業率で一定となるという説である。次の図1は短期的な物価上昇率と失業率の関係、図2は長期的な物価上昇率と失業率の関係を表したグラフ（物価版フィリップス曲線）である。

　労働者は名目賃金率（W）の上昇には敏感であるが、物価（P）の上昇はすぐに認知しないと仮定する。短期的には、物価（P）が上昇すると名目賃金率（W）が上昇するが、仮定より労働者は名目賃金率のみが上昇したと錯覚し、労働者が短期におい

て認知している実質賃金率（$\frac{W}{P}$）が上昇したと錯覚する（貨幣錯覚）。これより、労働者は労働供給を増加させる。その結果、失業率は低下する。

　しかし、長期的には物価（P）の上昇と実質賃金率（$\frac{W}{P}$）が一定であることに気づく。すると、労働者は労働供給量を減少させ、失業率はもとの水準に戻る。結局物価の上昇に対し、失業率は自然失業率で一定となる。

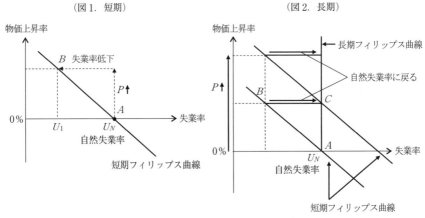

a　**✕**：自然失業率仮説では「期待で調整されたフィリップス曲線」を想定する。人々が物価上昇を期待（予想）すると、実質賃金率の低下を避けるために、名目賃金率の引き上げを要求する。この要求を受けた企業は価格を引き上げようとするため、実際の物価水準も上昇すると考える。

　　よって、「期待で調整されたフィリップス曲線」は名目のフィリップス曲線を期待インフレ率の分だけ上方にシフトさせる。

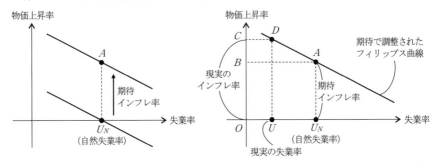

　現実のインフレ率（前右図のCO）が期待インフレ率（前右図のAU_N）を上回るとき、失業率（現実の失業率）は自然失業率よりも**低くなる**。

b　✕：自然失業仮説では、長期的には自然失業率で一定となると考える。自然失業率は完全雇用状態における失業率であり、この状況であっても摩擦的失業（転職に伴い不可避的に生じる失業）、構造的失業（経済的構造など外生的な要因にもとづく失業）、自発的失業（労働者が、現行の賃金で働かないことを選択するために生じる失業）は発生するため、**ゼロとはならない。**

c　✕：自然失業率仮説によると、長期的にはインフレ率がいかなる水準であっても自然失業率が維持される。政府支出の増加は物価を上昇させるが、**失業率は低下しない。**

d　〇：正しい。失業率が自然失業率に等しいとき（**a**右図のUとU_Nが一致）、現実のインフレ率（**a**右図のBO）と期待インフレ率（**a**右図のAU_N）が等しくなる。

よって、**a**＝「誤」、**b**＝「誤」、**c**＝「誤」、**d**＝「正」となり、**オ**が正解である。

第13問

需要の価格弾力性に関する問題である。

a　✕：需要の価格弾力性とは価格が1％変化したときに需要量が何％変化するかを表すものである。需要の価格弾力性が大きければ、需要量の変化率が価格の変化率に比べて大きくなる。つまり、価格の変化率がそれに伴う需要量の変化率に比べて大きいほど、需要の価格弾力性は**小さくなる。**

b　〇：正しい。代替品が豊富であれば、価格上昇に伴って需要量が大きく減少する。つまり、代替品が豊富であれば価格の変化に伴う需要量の変化が大きくなり、需要の価格弾力性は大きくなる。

c　✕：傾きが緩やかな需要曲線ほど、需要の価格弾力性は大きく、需要曲線が一定の価格水準において水平である場合、この財の需要の価格弾力性は**無限大である。**

d　✕：ある財の需要曲線が右下がりの直線である場合、**より左上に位置する点のほうが需要の価格弾力性が大きくなる。**価格の変化率が同じ1％の変化であっても価格が高いほうが変化の金額は大きくなり、需要量の変化率が大きくなるからである。

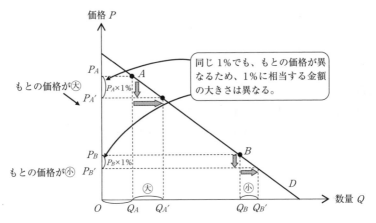

よって、**a**＝「誤」、**b**＝「正」、**c**＝「誤」、**d**＝「誤」となり、**オ**が正解である。

第14問

　需要の所得弾力性に関する問題である。需要の所得弾力性とは所得が1％変化したときに需要量が何％変化するかを表すものであり、所得が増加したときに需要量が増加すれば所得弾力性は正、需要量が変化しなければ所得弾力性はゼロ、需要量が減少すれば所得弾力性は負となる。また、所得効果とは実質所得の変化を通じて生じる効果であり、実質所得が増加した状態で消費量が増加すれば所得効果は正、消費量が変わらなければ所得効果はゼロ、消費量が減少すれば所得効果は負である。

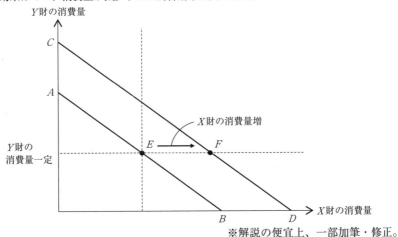

※解説の便宜上、一部加筆・修正。

a　**✕**：X財は所得が増加して消費量が増加しているため、所得効果は**正**である。

b　**〇**：正しい。

c ✕：Y財は所得が増加しても消費量が変わらないため、所得効果はゼロである。

d 〇：正しい。

よって、**a** =「誤」、**b** =「正」、**c** =「誤」、**d** =「正」であり、**エ**が正解である。

第15問

等費用線と等産出量曲線に関する問題である。

●等費用線　　　　　　　　：費用が等しくなる資本投入量と労働投入量の組み合わせを結んだものであり、右下がりの直線となる。

●等産出量曲線（等量曲線）：生産量が等しくなる資本投入量と労働投入量の組み合わせを結んだものであり、原点に凸の曲線となる。

　縦軸に資本投入量、横軸に労働投入量をとったグラフに、等産出量曲線と等費用線を描き、費用最小化となる資本投入量と労働投入量を見るものが等量曲線－等費用線モデルである。

　同一の等産出量曲線（等量曲線）上の点はどこをとっても生産量は等しくなり、より右上に位置する等産出量曲線（等量曲線）のほうが生産量は多くなる。等費用線は、より左下（原点に近い）に位置するもののほうが費用は小さくなる。したがって、等産出量曲線（等量曲線）を一定としたとき、費用最小となる資本投入量と労働投入量の組み合わせは、等産出量曲線（等量曲線）と等費用線がちょうど接する接点に対応する水準ということとなる。

<2財モデルと等量曲線－等費用線モデルにおける各要素の対応関係>

2財モデル	等量曲線－等費用線モデル
無差別曲線	等産出量曲線（等量曲線）
無差別曲線への接線の傾き ＝限界代替率 　（x財を1単位減少させたとき、効用を維持するために必要なyの増加量）	等産出量曲線（等量曲線）への接線の傾き ＝技術的限界代替率 　（労働投入量が1単位増加したとき、生産量を維持する前提で減らせる資本投入量）
予算制約線	等費用線
予算制約線の傾き ＝両財の価格比（$-\dfrac{P_X}{P_Y}$）	等費用線の傾き ＝要素価格比率（$-\dfrac{労働の要素価格（賃金率）}{資本の要素価格}$）
最適消費点	費用最小化点
効用最大化の条件 無差別曲線への接線の傾き＝予算制約線の傾き →無差別曲線と予算制約線の接点	費用最小化の条件 等産出量曲線への接線の傾き＝等費用線の傾き →等産出量曲線と等費用線の接点

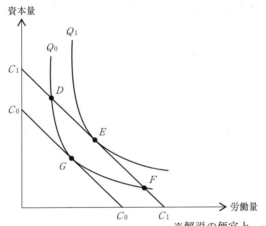

※解説の便宜上、一部加筆・修正。

a **✕**：点Dと点Eは異なる等産出量曲線にあるため、**産出量は異なる**。さらに、点Dと点Eは同一等費用線上にあるため、**総要素費用は同じ**になる。

b **✕**：技術的限界代替率は等産出量曲線にひいた接線の傾きの大きさである。等産出量曲線にひいた接線で点Gを接点とする直線と、点Dを接点とする直線は傾きが異なるため、**技術的限界代替率は異なる**。また、点Gと点Dは同一等産出量曲線上にあるため、**産出量は同じ**である。

c **◯**：正しい。点Fの労働量と資本量の組み合わせと総要素費用が一定であっても、点Eの労働量と資本量の組み合わせのほうが、産出量が大きくなるため、利潤を多くできる。点Eの労働量と資本量の組み合わせにするためには、点Fの労働量と資本量から労働量を減らし資本量を増やすことになる。

39

d ○：正しい。点 D の労働量と資本量の組み合わせと産出量が一定であっても、点 G の労働量と資本量の組み合わせのほうが、総要素費用が少なくなるため、最適生産を達成できる。点 G の労働量と資本量の組み合わせにするためには、点 D の労働量と資本量から資本量を減らし労働量を増やすことになる。

よって、**a** ＝「誤」、**b** ＝「誤」、**c** ＝「正」、**d** ＝「正」となり、**オ**が正解である。

第16問

短期の完全競争市場下における価格と企業の生産に関する問題である。

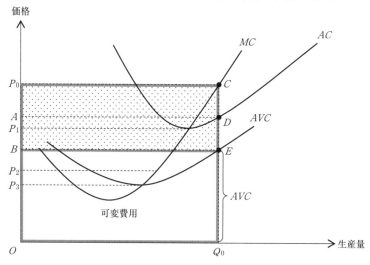

※解説の便宜上、一部加筆・修正。

設問1 ● ● ●

生産者余剰に関する問題である。完全競争企業の利潤最大化条件は「価格＝限界費用」となる水準に生産量を決めることであり、価格が P_0 のとき、限界費用と一致する Q_0 の水準で生産する。生産者余剰は「収入－可変費用」で求められ、利潤（「収入－可変費用－固定費用」）と異なることに注意する。収入は「価格×数量」、可変費用は「平均可変費用×数量」であり、収入＝「$P_0 O \times OQ_0 ＝$ 四角形 $P_0 OQ_0 C$」、可変費用＝「$EQ_0 \times OQ_0 ＝$ 四角形 $BOQ_0 E$」となり、生産者余剰は「四角形 $P_0 OQ_0 C －$ 四角形 $BOQ_0 E ＝$ 四角形 $P_0 BEC$」である。

よって、**オ**が正解である。

設問2 ●●●

完全競争企業の費用構造に関する問題である。

a ○：正しい。

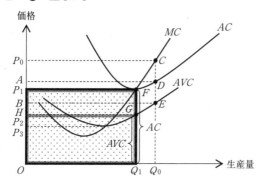

収入　　：□P_1OQ_1F
　　　　（$OP_1 \times OQ_1$）
総費用　：□P_1OQ_1F
　　　　（$FQ_1 \times OQ_1$）
可変費用：□HOQ_1G
　　　　（$GQ_1 \times OQ_1$）
固定費用：□P_1HGF
　　　　（□P_1OQ_1F − □HOQ_1G）
利潤　　：ゼロ
　　　　（□P_1OQ_1F − □P_1OQ_1F）

b ○：正しい。図のように、価格がP_2の場合、可変費用はすべて回収し、固定費用の一部が回収できず赤字となる。

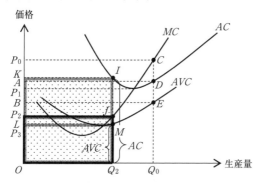

収入　　：□P_2OQ_2J
　　　　（$OP_2 \times OQ_2$）
総費用　：□KOQ_2I
　　　　（$IQ_2 \times OQ_2$）
可変費用：□LOQ_2M
　　　　（$MQ_2 \times OQ_2$）
固定費用：□$KLMI$
　　　　（□KOQ_2I − □LOQ_2M）
損失　　：□KP_2JI
　　　　（□P_2OQ_2J − □KOQ_2I）

c ✕：価格がP_3のとき、企業の損失は**固定費用**のみとなる。

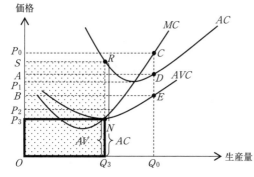

収入　　：□P_3OQ_3N
　　　　（$OP_3 \times OQ_3$）
総費用　：□SOQ_3R
　　　　（$RQ_3 \times OQ_3$）
可変費用：□P_3OQ_3N
　　　　（$NQ_3 \times OQ_3$）
固定費用：□SP_3NR
　　　　（□SOQ_3R − □P_3OQ_3N）
損失　　：□SP_3NR
　　　　（□P_3OQ_3N − □SOQ_3R）

※解説の便宜上、一部加筆・修正。

よって、**a**＝「正」、**b**＝「正」、**c**＝「誤」となり、**イ**が正解である。

独占に関する問題である。独占企業は「MR（限界収入）＝MC（限界費用）」となるように生産量を決定する。このようにして決定された生産量は、完全競争市場と比較して過小であり、生産量に対応する市場価格は高く、その結果、社会的総余剰が小さくなる。

本問では、独占企業は点Hの水準であるQ_1に生産量を決定する。価格は需要曲線により決定され、生産量Q_1に対応する点Fの水準であるBとなる。

＜独占企業の利潤最大化行動＞	＜完全競争市場として 利潤最大化行動をとった場合＞

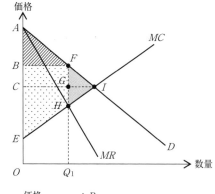 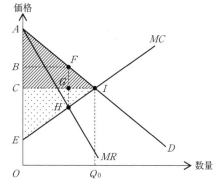

価格	：B
数量	：Q_1
消費者余剰	：$\triangle ABF$
	（□AOQ_1F－□BOQ_1F）
生産者余剰	：□$BEHF$
	（□BOQ_1F－□EOQ_1H）
社会的総余剰	：□$AEHF$
	（$\triangle ABF$＋□$BEHF$）
死荷重	：$\triangle FHI$
	（$\triangle AEI$－□$AEHF$）

価格	：C
数量	：Q_0
消費者余剰	：$\triangle ACI$
	（□AOQ_0I－□COQ_0I）
生産者余剰	：$\triangle CEI$
	（□COQ_0I－□EOQ_0I）
社会的総余剰	：$\triangle AEI$
	（$\triangle ACI$＋$\triangle CEI$）

※解説の便宜上、一部加筆・修正。

a ✕：企業は価格をBとすることで利潤を最大化できる。

b 〇：正しい。

c ✕：生産者余剰は**四角形**$BEHF$である。

d ✕：死荷重は**三角形**FHIである。

よって、**a**＝「誤」、**b**＝「正」、**c**＝「誤」、**d**＝「誤」であり、**オ**が正解である。

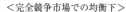

第18問

消費の外部不経済に関する問題である。完全競争市場における均衡点は消費者の限界価値曲線と供給曲線の交点 E であり、社会的に最適な消費が実現するときの均衡点は社会的限界価値曲線と供給曲線の交点 F である。なお、限界外部費用は消費者の限界価値曲線と社会的限界価値曲線の垂直差で表される。

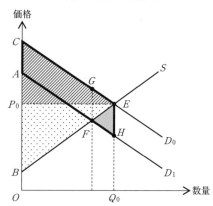

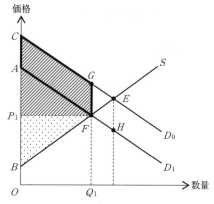

＜完全競争市場での均衡下＞

価格	：P_0
数量	：Q_0
消費者余剰	：$\triangle CP_0E$
	（$\square COQ_0E - \square P_0OQ_0E$）
生産者余剰	：$\triangle P_0BE$
	（$\square P_0OQ_0E - \square BOQ_0E$）
外部不経済	：$\square CAHE$
社会的総余剰	：$\square ABF - \triangle EFH$
	（$\triangle CP_0E + \triangle P_0BE - \square CAHE$）
死荷重	：$\triangle EFH$
	（$\triangle ABF - （\triangle ABF - \triangle EFH）$）

＜社会的に最適な消費が実現＞

価格	：P_1
数量	：Q_1
消費者余剰	：$\square CP_1FG$
	（$\square COQ_1G - \square P_1OQ_1F$）
生産者余剰	：$\triangle P_1BF$
	（$\square P_1OQ_1F - \square BOQ_1F$）
外部不経済	：$\square CAFG$
社会的総余剰	：$\square ABF$
	（$\square CP_1FG + \triangle P_1BF - \square CAFG$）

※解説の便宜上、一部加筆・修正。

a ✕：死荷重は**三角形 EFH** である。

b ○：正しい。

c ✕：社会的総余剰は**三角形 ABF** である。

d ○：正しい。

よって、**b** と **d** の組み合わせが正しく、**エ**が正解である。

公共財（共有資源およびクラブ財）に関する問題である。Aは排除可能（排除性）で、競合しない（非競合性）ものであり、Bは排除不可能（非排除性）で、競合する（競合性）ものである。

Aは有料配信のオンライン視聴サービス、Bは公海に生息する魚介類や混雑現象を伴う一般道路が該当する。

よって、**エ**が正解である。

第20問

労働市場に関する問題である。労働市場において需要者は企業であり、供給者は家計である。

<labor demand curve left>
＜労働需要曲線の右シフト＞

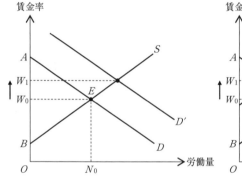

<labor supply curve>
＜労働供給曲線の左シフト＞

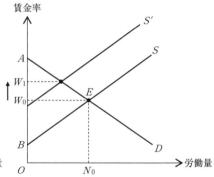

※解説の便宜上、一部加筆・修正。

設問1 ● ● ●

均衡賃金率の上昇を引き起こす要因に関する問題である。労働需要曲線の右方へのシフトまたは労働供給曲線の左方へのシフトによって均衡賃金率は上昇する。企業は労働の限界生産物と実質賃金率が等しい水準になるように労働量を決定する（古典派の第一公準）。同じ労働量で労働の限界生産物が上昇すれば労働需要曲線は右方へシフトする。また、同じ賃金で働く労働者の数が減少すれば労働供給曲線は左方へシフトする。

a ○：正しい。労働と補完的な生産技術水準の向上により、労働の限界生産物が増加するため、労働需要曲線は右方へシフトする。

b ×：雇用環境の改善に伴う労働の限界不効用の低下により、同じ賃金で働く労働者の数は増加するため、労働供給曲線は右方へシフトする。よって、**均衡賃金**

率は低下すると考えられる。なお、労働の限界不効用とは労働を1単位増加させたときに減少する効用の大きさのことである。

c ○：正しい。資本投入量が増加すると労働の限界生産物が増加するため、労働需要曲線は右方へシフトする。

d ✕：出生率の上昇に伴う生産年齢人口が増加すると、同じ賃金で働く労働者の数は増加するため、労働供給曲線は右方へシフトする。よって、**均衡賃金率は低下すると考えられる**。

よって、**a**と**c**が正しく、**ア**が正解である。

設問2 ● ● ●

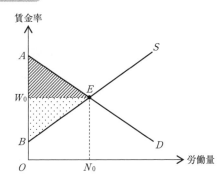

賃金率　　　：W_0
労働量　　　：N_0
企業の余剰　：$\triangle AW_0E$
　　　　　　（$\square AON_0E - \square W_0ON_0E$）
労働者の余剰：$\triangle W_0BE$
　　　　　　（$\square W_0ON_0E - \square BON_0E$）
社会的総余剰：$\triangle ABE$
　　　　　　（$\triangle AW_0E + \triangle W_0BE$）

※解説の便宜上、一部加筆・修正。

a ✕：労働者に帰属する余剰は、**三角形W_0BE**である。

b ✕：労働者の機会費用は、労働者が労働を選択することで失われる労働以外の活動をしていれば得られるであろう利益であり、可変費用に相当する。よって、**四角形BON_0E**である。

c ○：正しい。企業の労働費用とは使用者が労働者を雇用することによって生ずる一切の費用のことである。本問の場合、労働者に支払う賃金に相当し、四角形W_0ON_0Eである。

d ○：正しい。

よって、**c**と**d**の組み合わせである**オ**が正解である。

負の所得税の効果に関する問題である。

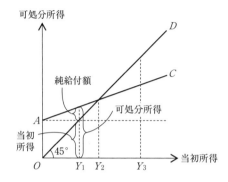

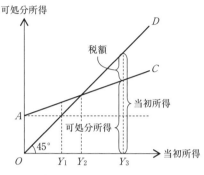

※解説の便宜上、一部加筆・修正。

a ✕：給付は「可処分所得＞当初所得」における「可処分所得－当初所得」であり、当初所得がOからY_2に増大するに従って小さくなっているため、**個人の純給付額は減少する。**

b ◯：正しい。可処分所得は右上がりの直線ACで示されている。よって、当初所得がOからY_1に増大するに従って個人の可処分所得は増加する。

c ✕：可処分所得は右上がりの直線AC、当初所得は直線ODで示されている。これらの金額が等しくなるのは直線の交点である当初所得がY_2のときである。

d ◯：正しい。当初所得がY_3のとき、可処分所得より当初所得のほうが大きい。よって、所得に対して税が課されていることがわかる。

よって、**b**と**d**の組み合わせが正しく、**オ**が正解である。

比較生産費説に関する問題である。

a ✕：機会費用とはある経済活動を選択することで失われるそれ以外の活動をしていれば得られるであろう利益のことである。カカオ１単位生産することで労働量を５使用することになり、この労働量は大豆$\frac{1}{2}$単位分である。よって、A国におけるカカオ１単位の機会費用は、大豆$\frac{1}{2}$単位である。

b ✕：A国におけるカカオ１単位当たりの労働量は５、大豆１単位当たりの労働量は10である。労働は同質であるため、A国におけるカカオ１単位の価値は５、大豆

1単位の価値は10であり、価値の比はカカオ：大豆＝1：2である。B国における
カカオ1単位当たりの労働量は4、大豆1単位当たりの労働量は2である。労働は
同質であるため、B国におけるカカオ1単位の価値は4、大豆1単位の価値は2で

あり、価値の比はカカオ：大豆＝1：$\frac{1}{2}$である。よって、B国における大豆のカ

カオに対する相対価格はB国のほうが**低い**。

c　〇：正しい。B国ではカカオと大豆をそれぞれ40単位ずつ生産しているため、「4×
40単位＋2×40単位＝240」となる。

d　〇：正しい。当初のA国の労働量の合計は「5×40単位＋10×40単位＝600」と
なる。A国がカカオの生産に特化し、B国が大豆の生産に特化すると、A国が生産
するカカオの生産量は「600÷5＝120」、B国が生産する大豆の生産量は「240÷2＝
120」となる。

よって、**a**＝「誤」、**b**＝「誤」、**c**＝「正」、**d**＝「正」となり、**エ**が正解である。

令和 5 年度問題

uestions

令和 5 年度 問題

第1問

　下図は、各国・地域のGDP（国内総生産）が世界のGDPに占める割合を示したものである。図中のa〜dに該当する国の組み合わせとして、最も適切なものを下記の解答群から選べ。

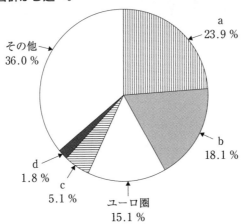

出所：内閣府『世界経済の潮流2022年Ⅰ』

2021年時点、名目ベース

[解答群]
ア　a：アメリカ　　b：中国　　　c：日本　　　d：ロシア
イ　a：アメリカ　　b：中国　　　c：ロシア　　d：日本
ウ　a：アメリカ　　b：日本　　　c：中国　　　d：ロシア
エ　a：中国　　　　b：アメリカ　c：日本　　　d：ロシア
オ　a：中国　　　　b：アメリカ　c：ロシア　　d：日本

第2問

　下図は、2010年以降の日本の経常収支について、その内訳の推移を示したものである。図中のa〜cに該当する収支項目の組み合わせとして、最も適切なものを下記の解答群から選べ。

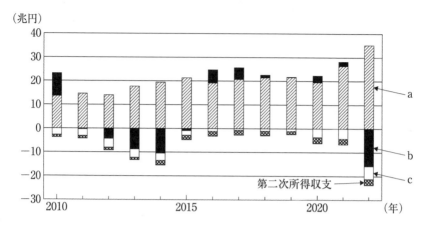

出所：財務省ホームページ

[解答群]

ア　a：サービス収支　　　b：第一次所得収支　　c：貿易収支

イ　a：サービス収支　　　b：貿易収支　　　　　c：第一次所得収支

ウ　a：第一次所得収支　　b：サービス収支　　　c：貿易収支

エ　a：第一次所得収支　　b：貿易収支　　　　　c：サービス収支

オ　a：貿易収支　　　　　b：第一次所得収支　　c：サービス収支

第3問

　下図は、2022年3月末時点での、日本とアメリカにおける家計の金融資産構成を示したものである。図中の a〜c に該当する金融資産項目の組み合わせとして、最も適切なものを下記の解答群から選べ。

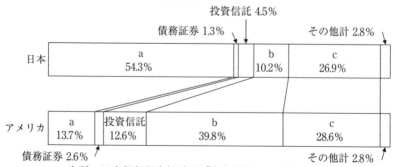

出所：日本銀行調査統計局『資金循環の日米欧比較』

[解答群]

ア　a：株式等　　　b：保険・年金・定型保証　c：現金・預金

イ　a：現金・預金　b：株式等　　　　　　　　c：保険・年金・定型保証

ウ　a：現金・預金　b：保険・年金・定型保証　c：株式等

エ　a：保険・年金・定型保証　b：株式等　　　c：現金・預金

オ　a：保険・年金・定型保証　b：現金・預金　c：株式等

第4問　　★重要★

国民経済計算においてGDPに含まれる要素として、最も適切な組み合わせを下記の解答群から選べ。

a　農家の自家消費

b　持ち家の帰属家賃

c　家庭内の家事労働

d　政府の移転支出

[解答群]

ア　aとb　　イ　aとc　　ウ　aとd　　エ　bとc　　オ　bとd

第5問

ある経済には、商品Aと商品Bの2つがあり、それぞれの価格と数量は下表のとおりとする。2020年を基準年とするとき、この設例に関する記述の正誤の組み合わせとして、最も適切なものを下記の解答群から選べ。

	商品 A		商品 B	
	価格	数量	価格	数量
2020 年	200 円	10 個	100 円	5 個
2022 年	210 円	8 個	90 円	8 個

a　2022年の名目GDPは、2,400円である。

b　2022年の実質GDPは、2,400円である。

c　2022年の物価指数（パーシェ型）は、102である。

d　2020年から2022年にかけての実質GDPの成長率は、マイナス5％である。

[解答群]

ア　a：正　　　b：正　　　c：正　　　d：誤

イ　a：正　　　b：正　　　c：誤　　　d：誤

ウ　a：正　　　b：誤　　　c：正　　　d：誤

エ　a：誤　　　b：正　　　c：誤　　　d：正

オ　a：誤　　　b：誤　　　c：誤　　　d：正

第6問　★重要★

　内閣府の景気動向指数における一致系列の経済指標として、最も適切なものはどれか。

ア　家計消費支出（勤労者世帯、名目）

イ　消費者物価指数（生鮮食品を除く総合）

ウ　東証株価指数

エ　法人税収入

オ　有効求人倍率（除学卒）

第7問　★重要★

　下図は、45度線図である。この図において、総需要は$AD = C + I$（ただし、ADは総需要、Cは消費支出、Iは投資支出）、消費関数は$C = C_0 + cY$（ただし、C_0は基礎消費、cは限界消費性向（$0 < c < 1$）、YはGDP）によって表されるとする。

　この図に関する記述の正誤の組み合わせとして、最も適切なものを下記の解答群から選べ。

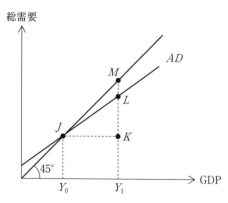

a 投資支出が増えると、*AD*線の傾きは急になる。

b 投資支出が*LM*だけ増加するとき、投資支出乗数の大きさは$\dfrac{LM}{KM}$である。

c 投資支出が*LM*だけ増加するとき、GDPはY_0からY_1に増え、消費支出は*LK*だけ増加する。

d *AD*線の傾きが緩やかになると、投資支出乗数は小さくなる。

[解答群]
ア　a：正　　b：正　　c：正　　d：誤
イ　a：正　　b：誤　　c：誤　　d：誤
ウ　a：誤　　b：正　　c：誤　　d：正
エ　a：誤　　b：誤　　c：正　　d：正
オ　a：誤　　b：誤　　c：正　　d：誤

第8問　　★重要★

下図は、*IS*曲線と*LM*曲線を描いている。この図に基づいて、下記の設問に答えよ。

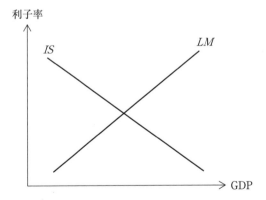

設問1　●●●

*IS*曲線に関する記述として、最も適切なものはどれか。

ア　貨幣需要の利子感応度が大きいほど、*IS*曲線の傾きはより緩やかになる。

イ　限界消費性向が大きいほど、*IS*曲線の傾きはより緩やかになる。

ウ　政府支出の増加は、*IS*曲線を左方にシフトさせる。

エ 投資の利子感応度が小さいほど、IS曲線の傾きはより緩やかになる。

オ 独立消費の減少は、IS曲線を右方にシフトさせる。

設問2 ● ● ●

LM曲線に関する記述として、最も適切なものはどれか。

ア 貨幣需要の所得感応度が大きいほど、LM曲線の傾きはより緩やかになる。

イ 貨幣需要の利子感応度が大きいほど、LM曲線の傾きはより緩やかになる。

ウ 資産効果に伴う貨幣需要の増加は、LM曲線を右方にシフトさせる。

エ 投資の利子感応度が大きいほど、LM曲線の傾きはより緩やかになる。

オ 名目貨幣供給の増加は、LM曲線を左方にシフトさせる。

第9問

変動為替レート制の下で円安・ドル高への圧力を強めると想定される要因として、最も適切な組み合わせを下記の解答群から選べ。

a アメリカの連邦準備制度理事会による政策金利の引き下げ

b アメリカにおける市場予想を上回る雇用者数の増加

c 世界的な原油価格の上昇

d 日本における消費者物価の持続的な下落

[解答群]
ア aとb イ aとc ウ aとd エ bとc オ bとd

第10問 ★重要★

下図は、開放経済下における小国のマクロ経済モデルを描いている。この図に基づいて、下記の設問に答えよ。

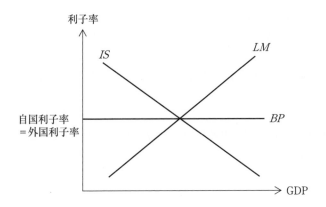

設問1 ● ● ●

　この図に関する記述の正誤の組み合わせとして、最も適切なものを下記の
解答群から選べ。

a　水平な*BP*曲線は、国際的な資本移動が利子率に対して完全に弾力的であるこ
　とを意味している。

b　開放経済下の*IS*曲線の傾きは、閉鎖経済下の*IS*曲線に比べて、より急な形状に
　なる。

c　外国利子率が上昇すると、*BP*曲線は下方にシフトする。

```
［解答群］
ア　a：正　　　b：正　　　c：正
イ　a：正　　　b：正　　　c：誤
ウ　a：正　　　b：誤　　　c：正
エ　a：誤　　　b：正　　　c：誤
オ　a：誤　　　b：誤　　　c：誤
```

設問2 ● ● ●

　この国が変動為替レート制を採用しているとき、GDPの変化に関する記
述の正誤の組み合わせとして、最も適切なものを下記の解答群から選べ。

a　政府支出の増加は、*IS*曲線を右方にシフトさせるが、自国通貨高による純輸出

の減少によってその効果は相殺され、自国のGDPに影響しない。

b　政府支出の増加は、自国通貨高を防ぐための名目貨幣供給の増加を伴って、自国のGDPを増加させる。

c　名目貨幣供給の増加は、*LM*曲線を右方にシフトさせるが、自国通貨安を防ぐための名目貨幣供給の減少によってその効果は相殺され、自国のGDPに影響しない。

d　外国利子率の低下は、海外からの資本流入によって自国通貨高を招き、自国のGDPを減少させる。

［解答群］

ア　a：正　　b：誤　　c：正　　d：正

イ　a：正　　b：誤　　c：正　　d：誤

ウ　a：正　　b：誤　　c：誤　　d：正

エ　a：誤　　b：正　　c：誤　　d：正

オ　a：誤　　b：正　　c：誤　　d：誤

第11問

国債に関する下記の設問に答えよ。

設問1 ● ● ●

国債に関する記述として、最も適切なものはどれか。

ア　国債の価格が上昇すると、その利回りは低下する。

イ　国債は、マネーストック（広義流動性）に含まれない。

ウ　日本銀行が金融政策の手段として国債を市場で売買することは禁止されている。

エ　日本銀行は、国債を保有していない。

オ　日本政府は、物価連動国債を発行していない。

設問2 ● ● ●

政府の国債発行に関する理論についての記述として、最も適切なものはどれか。

ア　課税平準化の理論によれば、課税による超過負担を最小化する観点から、異時点間の税収の変動を抑えるように年々の国債発行額を決定するのが望ましい。

イ　貨幣数量説が成立する古典派経済学の枠組みでは、国債発行を伴う財政政策は、金利の低下を通じて民間投資を促進する効果を持つ。

ウ　ケインズ経済学の枠組みでは、流動性のわなが存在する状況下での国債発行を伴う財政政策は、金利の上昇を引き起こすために無効となる。

エ　国債の中立命題によれば、ある時点での国債発行は、家計に将来時点での増税を予期させるために、マクロ経済に与える効果は中立的となる。

第12問

　下図において、ある農産物に対する需要曲線Dの下で、垂直な供給曲線S_0が収穫量の増加（$Q_0 \rightarrow Q_1$）に伴ってS_1にシフトした結果、市場価格はP_0からP_1に下落した。このときの状況に関する記述の正誤の組み合わせとして、最も適切なものを下記の解答群から選べ。

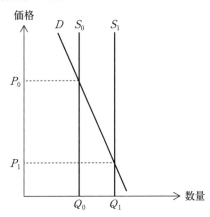

a　この農産物の生産者は、価格の変化に対して供給量を調整することができない。

b　この農産物の供給量が増加したことで、消費者余剰は減少する。

c　供給の価格弾力性は無限大である。

d　需要の価格弾力性（絶対値）が１より小さいと、供給量の増加は生産者の収入を減少させる。

[解答群]

	a	b	c	d
ア	a：正	b：正	c：正	d：誤
イ	a：正	b：誤	c：正	d：誤
ウ	a：正	b：誤	c：誤	d：正
エ	a：誤	b：正	c：誤	d：正
オ	a：誤	b：誤	c：誤	d：正

第13問　★重要★

　一定の賃貸住宅について、下図の需要曲線Dと供給曲線Sの下で当初の市場価格（家賃）がP_0、均衡取引量がQ_0であったとする。ここで、政府が価格P_1を上限とする家賃規制を導入した場合の効果に関する記述の正誤の組み合わせとして、最も適切なものを下記の解答群から選べ。

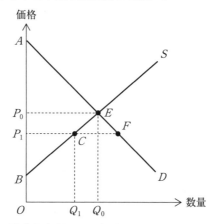

a　家賃規制導入後の消費者余剰は、三角形AP_1Fで示される。

b　家賃規制導入後の生産者余剰は、三角形P_1BCで示される。

c　家賃規制導入後の住宅供給者の収入は、四角形P_1OQ_1Cで示される。

d　家賃規制導入によって生じた死荷重は、三角形ECFで示される。

[解答群]

	a		b		c		d	
ア	a：正	b：正	c：正	d：誤
イ	a：正	b：誤	c：誤	d：誤
ウ	a：誤	b：正	c：正	d：正
エ	a：誤	b：正	c：正	d：誤
オ	a：誤	b：誤	c：誤	d：正

第14問　　★ 重要 ★

　　下図は企業の短期費用曲線を示し、縦軸のOAが固定費用を表している。ここで、総費用曲線TC上の接線のうち、①その傾きが最小となる点をX、②Aを起点とした直線と接する点をY、③Oを起点とした直線と接する点をZとする。

　　この図から読み取れる記述として、最も適切な組み合わせを下記の解答群から選べ。

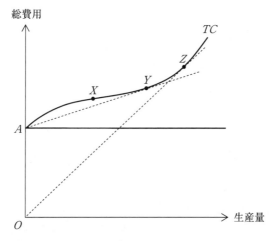

a　点Xでは平均固定費用が最小になっている。

b　点Yでは平均可変費用が最小になっている。

c　点Zでは平均総費用が最小になっている。

d　点Xから点Zにかけて限界費用は逓減している。

[解答群]

ア　aとb　　イ　aとc　　ウ　aとd　　エ　bとc　　オ　bとd

ワインとチーズという2財を生産するために、2つの生産要素である資本と労働をどのように配分するかという問題を考える。

縦軸に資本の賦存量、横軸に労働の賦存量をはかった下図では、O_Wがワインを生産するのに両生産要素の投入量がともに0の状態、同様にO_Cがチーズを生産するのに両生産要素の投入量がともに0の状態である。したがって、ボックスの中の任意の点は、これら2財の生産に投入される資本と労働の配分パターンを表している。

ワインとチーズの等産出量曲線がそれぞれ図のように示されているとすると、2財の生産に投入される両生産要素の配分パターンに関する記述の正誤の組み合わせとして、最も適切なものを下記の解答群から選べ。

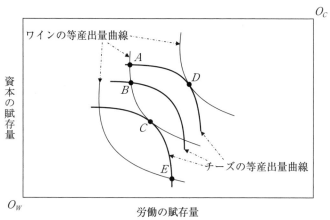

a　点Aでは、パレート効率が実現している。

b　点Dは点Cよりもチーズの生産量が多い。

c　点Bから点Cへの変化は、生産の効率性を改善する。

d　点Eでは、2財の生産において資本と労働の技術的限界代替率が等しい。

[解答群]

ア	a：正	b：正	c：正	d：誤
イ	a：正	b：誤	c：正	d：誤
ウ	a：正	b：誤	c：誤	d：正
エ	a：誤	b：正	c：誤	d：正
オ	a：誤	b：誤	c：正	d：誤

下図は、所得水準と、ある財の消費量の関係を表したエンゲル曲線である。この図から読み取れる記述の正誤の組み合わせとして、最も適切なものを下記の解答群から選べ。

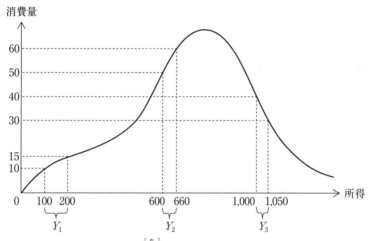

a 所得Y_1の領域では、この財は奢侈財であると判断される。

b 所得Y_2の領域では、この財は上級財であると判断される。

c 所得Y_3の領域では、この財は必需財であると判断される。

[解答群]

ア a：正　　b：正　　c：正

イ a：正　　b：誤　　c：誤

ウ a：誤　　b：正　　c：正

エ a：誤　　b：正　　c：誤

オ a：誤　　b：誤　　c：正

外部不経済の内部化を意図して採用されると想定される政策や制度に関する記述として、最も適切なものはどれか。

ア 一定の自動車駐車場に対して、身体障がい者用駐車施設の設置を義務付けること

イ 市街化区域内の農地などを対象として、一定の条件の下で固定資産税等を減免す

る生産緑地制度

ウ　他地域から移住してきた世帯を対象に、子ども一人あたり定額の補助金を給付する制度

エ　二酸化炭素の排出量を基準とした化石燃料への課税

オ　入札談合などの事実を自主申告した企業に対して、当該違反への課徴金を減免する制度

第18問　　★重要★

情報の不完全性に起因するモラルハザードを軽減することを主な目的として行われる事例として、最も適切なものはどれか。

ア　家電製品の製造業者が、顧客が製品を購入してから一定の期間内までは無償の保証サービスを提供する。

イ　企業が投資資金を調達するにあたって、自社が発行する債券への格付けを民間の格付け会社から取得する。

ウ　被保険者の医療費をカバーする健康保険制度において、保険料の負担が被保険者である労働者だけでなく、雇用主側にも課せられる。

エ　保険会社が、契約者であるドライバーが対物事故を起こした場合に、当該事故に伴う損害費用のうち一定金額を超える部分のみ補償を行う。

オ　持ち家の所有者が旅行者に宿泊サービスを提供する場合、当該サービス取引の仲介業者が、住宅の貸し手に過去の利用者によるサービス評価を公表することを義務付ける。

第19問　　★重要★

下図は、ある地域で独占的な地位にある電力会社の平均費用AC、限界費用MC、限界収入MRおよび同地域での電力の需要曲線Dを示している。この図から読み取れる記述の正誤の組み合わせとして、最も適切なものを下記の解答群から選べ。

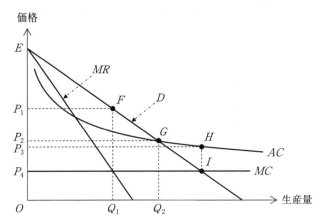

a　平均費用価格形成原理の下で、この企業の総収入と総費用はともに四角形 P_2OQ_2G で示される。

b　平均費用価格形成原理の下で、生産者余剰は四角形 P_1P_2GF で示される。

c　限界費用価格形成原理の下で、消費者余剰は三角形 EP_1F で示される。

d　限界費用価格形成原理の下で、この企業には四角形 P_3P_4IH に相当する損失が生じる。

```
［解答群］
ア　a：正　　b：正　　c：正　　d：誤

イ　a：正　　b：誤　　c：誤　　d：正

ウ　a：誤　　b：正　　c：正　　d：誤

エ　a：誤　　b：正　　c：誤　　d：誤

オ　a：誤　　b：誤　　c：誤　　d：正
```

第20問

　企業城下町のように働く場が限られているケースは、下図のような、買い手独占の労働市場モデルによって考察できる。Dは労働需要曲線、Sは労働供給曲線、MCは労働の限界費用曲線である。Sが右上がりであることは、企業にとって、たくさんの労働者を雇用するためには高い賃金率の支払いが必要であることを意味する。この高い賃金率は、追加的に増える労働者だけではなく、すでに雇用している労働者にも適用される。したがって、買い手独占の労働市場のMCは、Sよりも上方に位置する。

この図に関する記述の正誤の組み合わせとして、最も適切なものを下記の解答群から選べ。

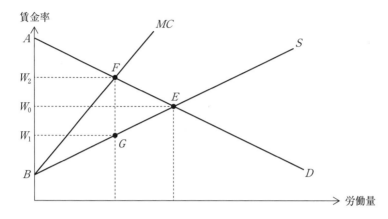

a　この独占企業は、W_1の賃金率で労働者を雇用する。

b　労働者の余剰は、三角形AW_2Fである。

c　労働市場が完全競争である場合と比べて、三角形EFGだけの余剰が失われている。

d　最低賃金率がW_0に設定されると、労働投入量は増加する。

[解答群]
ア　a：正　　b：正　　c：正　　d：正
イ　a：正　　b：正　　c：正　　d：誤
ウ　a：正　　b：正　　c：誤　　d：正
エ　a：正　　b：誤　　c：正　　d：正
オ　a：誤　　b：正　　c：正　　d：正

第21問

閉鎖経済の下で国内でのみ生産販売されていた製品が、貿易の自由化により外国に輸出された場合の効果について考える。下図は、国際価格がP_fで与えられる、ある工業製品に対する国内の需要曲線Dと供給曲線Sを示している。当初、閉鎖経済の下で国内の需要量と供給量が点Eで均衡し、国内価格はP_0、取引量はQ_0であったが、国際価格P_fの輸出財市場に参入したことで、供給量はQ_2に増加することになった。

この図から読み取れる記述の正誤の組み合わせとして、最も適切なものを下記の解答群から選べ。

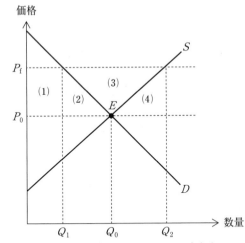

a 貿易自由化によって、国内の消費量はQ_0からQ_1に減少する。

b 貿易自由化による消費者余剰の減少分は、(2)である。

c 貿易自由化による生産者余剰の増加分は、(1)、(2)、(3)、(4)の合計である。

d 貿易自由化による社会的総余剰の増加分は、(3)である。

[解答群]
ア a：正　　b：正　　c：正　　d：誤
イ a：正　　b：正　　c：誤　　d：誤
ウ a：正　　b：誤　　c：誤　　d：正
エ a：誤　　b：正　　c：正　　d：誤
オ a：誤　　b：誤　　c：誤　　d：正

第22問　　★重要★

特定の財の市場において競合関係にある企業同士が、同一価格での販売を約束するカルテルを結ぶことは、互いの企業にとって有利となる場合がある。ここで企業Xと企業Yは、それぞれ一定の販売価格で合意したカルテルを守るか、あるいはそれを破ってより低い価格で販売するかを選択するものとする。

下表は、両企業の利得表であり、カッコ内の左側が企業Xの利得、右側が企業Yの利得を表している。このゲームに関する記述として、最も適切な組み合

わせを下記の解答群から選べ。

		企業Y	
		カルテルを守る	カルテルを破る
企業X	カルテルを守る	(50, 40)	(−20, 60)
	カルテルを破る	(60, −20)	(0, 0)

a 企業Xが「カルテルを守る」場合において、企業Yの最適反応は「カルテルを破る」である。

b 企業Yが「カルテルを守る」場合において、企業Xの最適反応は「カルテルを守る」である。

c このゲームにおけるナッシュ均衡は、企業X、企業Yともに「カルテルを守る」ケースである。

d このゲームにおけるナッシュ均衡は、企業X、企業Yともに「カルテルを破る」ケースである。

[解答群]
ア aとc　イ aとd　ウ bとc　エ bとd

令和 **5** 年度
解答・解説

nswers

令和 **5** 年度
解答

問題		解答	配点	正答率※	問題		解答	配点	正答率※	問題	解答	配点	正答率※
第1問		ア	4	B	第10問	(設問1)	イ	4	D	第18問	エ	4	B
第2問		エ	4	C		(設問2)	ウ	4	B	第19問	イ	4	C
第3問		イ	4	A	第11問	(設問1)	ア	4	B	第20問	エ	4	D
第4問		ア	4	B		(設問2)	ア	4	D	第21問	ウ	4	B
第5問		イ	4	C	第12問		ウ	4	B	第22問	イ	4	A
第6問		オ	4	C	第13問		エ	4	D				
第7問		エ	4	D	第14問		エ	4	A				
第8問	(設問1)	イ	4	B	第15問		オ	4	C				
	(設問2)	イ	4	B	第16問		エ	4	B				
第9問		エ	4	D	第17問		エ	4	B				

※TACデータリサーチによる正答率
　正答率の高かったものから順に、A〜Eの5段階で表示。
A：正答率80％以上　　　　　　B：正答率60％以上80％未満　　　C：正答率40％以上60％未満
D：正答率20％以上40％未満　　E：正答率20％未満

解答・配点は一般社団法人日本中小企業診断士協会連合会の発表に基づくものです。

令和 5 年度 解説

第1問

各国・地域のGDP（国内総生産）に関する問題である。

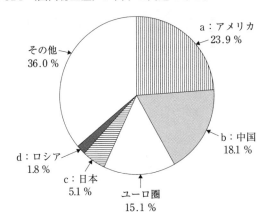

出所：内閣府『世界経済の潮流2022年Ⅰ』
2021年時点、名目ベース

※解説の便宜上、一部加筆・修正。

名目GDP（国内総生産）が大きい国は1位アメリカ（aに該当）、2位中国（bに該当）、3位日本（cに該当）、4位ドイツ、5位インドの順となっている。また、ロシア（dに該当）は10位である。

よって、**a**＝アメリカ、**b**＝中国、**c**＝日本、**d**＝ロシアとなり、**ア**が正解である。

第2問

日本の経常収支の内訳の推移に関する問題である。経常収支は貿易・サービス収支（財の輸出入やサービス取引などの収支）、第一次所得収支（雇用者報酬や株式配当金、債券利子の受取・支払などの収支）、第二次所得収支（無償援助や送金など対価を伴わない資産の提供による収支）に分けられる。

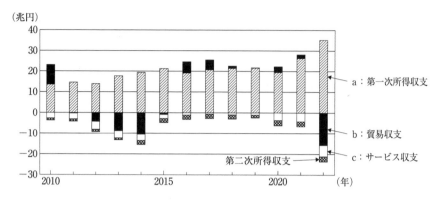

（兆円）

出所：財務省ホームページ

※解説の便宜上、一部加筆・修正。

　第一次所得収支（a）は、近年、日本の経常収支の内訳で最も割合が高くなっている。また、貿易収支（b）は、2011年に発生した東日本大震災からマイナスになる年が出現している。さらに、サービス収支（c）はマイナスで推移している。

　よって、**a**は第一次所得収支、**b**は貿易収支、**c**はサービス収支が該当するため、**エ**が正解である。

第3問

日本とアメリカにおける家計の金融資産構成についての問題である。

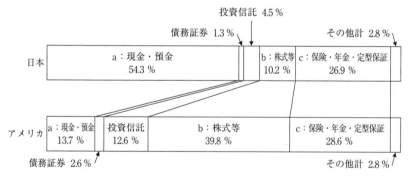

出所：日本銀行調査統計局『資金循環の日米欧比較』

※解説の便宜上、一部加筆・修正。

日本の家計の金融資産構成の特徴は、（a）現金・預金の割合の高さであり、アメリ

カの家計の金融資産構成の特徴は、（b）株式等の割合の高さである。

よって、**a**は現金・預金、**b**は株式等、**c**は保険・年金・定型保証が該当するため、**イ**が正解である。

解答・解説 5年度

第4問

国民経済計算に関する問題である。GDPに含まれるのは、基本的に新たに生み出された付加価値であって市場で取引される財・サービスである。しかし、**持ち家の帰属家賃、農家の自家消費、公共サービス**などは実際に取引が行われなくても、あたかも取引が行われたように記録したほうが、国民経済の姿を正確にとらえるという目的にかなう場合があり、このような記録の仕方を帰属計算という。

家庭内の家事労働や政府の移転支出（企業に対する補助金のように反対給付を伴わない支出のこと）はGDPに含まれない。

よって、**a**と**b**の組み合わせが正しく、**ア**が正解である。

第5問

物価指数に関する問題である。代表的な物価指数の作成方法には、ラスパイレス式とパーシェ式がある。ラスパイレス式は基準時点（過去）の数量を基準として物価を計算する方法であり、パーシェ式は比較時点（現在）の数量を基準として物価を計算する方法である。

$$ラスパイレス式 = \frac{\Sigma（\boxed{比較時点の財の価格} \times \boxed{基準時点の財の数量}）}{\Sigma（\boxed{基準時点の財の価格} \times \boxed{基準時点の財の数量}）} \times 100$$

$$パーシェ式 = \frac{\Sigma（\boxed{比較時点の財の価格} \times \boxed{比較時点の財の数量}）}{\Sigma（\boxed{基準時点の財の価格} \times \boxed{比較時点の財の数量}）} \times 100$$

本問において、名目GDPは「商品Aの価格×数量＋商品Bの価格×数量」であり、実質GDPは「$\dfrac{名目GDP}{GDPデフレータ} \times 100$」である。

a 〇：正しい。2022年の名目GDPは、「210円×8個＋90円×8個＝2,400円」より、2,400円である。

b 〇：正しい。2022年の実質GDPは、「$\dfrac{2022年の名目GDP}{GDPデフレータ} \times 100$」である。GDPデフレータはパーシェ式で算出されるものであり、cよりその値は100である。よって、$\dfrac{2,400}{100} \times 100 = 2,400$円である。

c ✗ 以下のとおり計算すると、2022年の物価指数（パーシェ型）は、100である。

$$\frac{210 \times 8 + 90 \times 8}{200 \times 8 + 100 \times 8} \times 100 = \frac{2,400}{2,400} \times 100 = 100$$

d ✗：実質GDPの成長率は物価変動の影響を排除する。本問では、「2020年を基準年とする」ため、2022年も2020年の物価を使用することで、物価変動の影響を排除できる。

2020年の実質GDP：200円×10個＋100円× 5 個＝2,500円

2022年の実質GDP：200円× 8 個＋100円× 8 個＝2,400円

実質GDPの成長率 $\frac{2,400 - 2,500}{2,500} \times 100 = -4\%$

よって、**a** ＝「正」、**b** ＝「正」、**c** ＝「誤」、**d** ＝「誤」となり、**イ**が正解である。

第6問

　景気動向指数に関する問題である。先行系列、一致系列、遅行系列は以下のような特徴がある。

　先行系列：景気に先行して動く指標（将来予測）

　一致系列：景気とほぼ一致して動く指標（現状把握）

　遅行系列：景気より遅れて動く指標（事後的な確認）

　具体的な指標は以下のとおりである。

	系列名
先行系列 (11)	最終需要財在庫率指数（逆） 鉱工業用生産財在庫率指数（逆） 実質機械受注（製造業） 新設住宅着工床面積 日経商品指数（42 種総合） マネーストック（M2）（前年同月比） **東証株価指数** 消費者態度指数 投資環境指数（製造業） 中小企業売上げ見通し DI 新規求人数（除学卒）
一致系列 (10)	生産指数（鉱工業） 労働投入量指数（調査産業計） 鉱工業用生産財出荷指数 耐久消費財出荷指数 投資財出荷指数（除輸送機械） 商業販売額（小売業）（前年同月比） 商業販売額（卸売業）（前年同月比） 営業利益（全産業） 輸出数量指数 **有効求人倍率（除学卒）**
遅行系列 (9)	第 3 次産業活動指数（対事業所サービス業） 実質法人企業設備投資（全産業） **家計消費支出（勤労者世帯、名目）（前年同月比）** **法人税収入** きまって支給する給与（製造業、名目） **消費者物価指数（生鮮食品を除く総合）（前年同月比）** 最終需要財在庫指数 常用雇用指数（調査産業計）（前年同月比） 完全失業率（逆）

※（逆）とあるものは、指数の数値が減少したときに景気に対してプラス要因となるものである。

よって、**オ**が正解である。

第7問

乗数理論に関する問題である。

$AD = C + I$ に $C = C_0 + cY$ を代入する。

$AD = C_0 + cY + I$

$AD = cY + C_0 + I$

これより、傾きは c、切片は $C_0 + I$ であることがわかる。

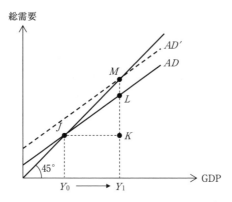

※解説の便宜上、一部加筆・修正。

a ✕：投資支出 I は AD 線の切片であるため、投資支出が増えると、**AD 線は上方に平行移動する**。

b ✕：投資支出の増加分、投資支出乗数およびGDPの増加分には以下のような関係がある。

GDPの増加分＝投資支出乗数×投資支出の増加分

これより、投資支出乗数＝$\dfrac{\text{GDPの増加分}}{\text{投資支出の増加分}}$

投資支出が LM だけ増加するとき、上図のように均衡点が J から M へと移動し、GDPは Y_0 から Y_1 へと増加する。また、三角形 MJK は直角二等辺三角形であるから、$Y_0Y_1 = JK = KM$ である。

よって、投資支出乗数＝$\dfrac{Y_0Y_1}{LM} = \dfrac{KM}{LM}$ である。

c ◯：正しい。**b** より、投資支出が LM だけ増加するとき、GDPは Y_0 から Y_1 へと増加する。そして、限界消費性向が c であるため、増加する消費支出は「$c \times Y_0Y_1$」である。AD 線の傾きは c であり、$c = \dfrac{LK}{JK}$ と表せる。よって、増加する消費支出

は $\dfrac{LK}{JK} \times JK = LK$ である。

d ◯：正しい。AD 線の傾きが緩やかになると、LK が小さくなり、LM が大きくなる。**b** より、LM が大きいほうが投資支出乗数は小さくなる。よって、AD 線の傾きが緩やかになると、投資支出乗数は小さくなる。

よって、**a** ＝「誤」、**b** ＝「誤」、**c** ＝「正」、**d** ＝「正」となり、**エ**が正解である。

*IS-LM*分析に関する問題である。

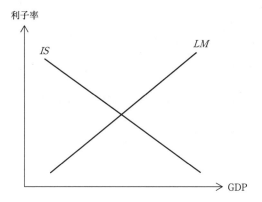

利子率

IS　　　　　　　　　　　*LM*

GDP

※解説の便宜上、一部加筆・修正。

設問1 ● ● ●

　*IS*曲線に関する問題である。*IS*曲線は生産物市場（財市場）を均衡させるGDP
と利子率の組み合わせを描いた曲線である。

ア　✕：貨幣需要の利子感応度が大きいほど、**LM曲線の傾きはより緩やかになる。**

イ　〇：正しい。限界消費性向の値が大きいほど利子率の低下に対するGDPの増
　加分が大きくなる。よって、*IS*曲線はより緩やかに描かれる。

ウ　✕：政府支出の増加は、利子率を変化させずにGDPを増加させる。よって、
　政府支出の増加は*IS*曲線を**右方にシフトさせる。**

エ　✕：投資の利子感応度が大きいほど利子率の低下に対するGDPの増加分が大
　きくなる。よって、*IS*曲線はより**緩やかに描かれる。**

オ　✕：独立消費の減少は、利子率を変化させずにGDPを減少させる。よって、
　独立消費の減少は*IS*曲線を**左方にシフトさせる。**

　よって、**イ**が正解である。

設問2 ● ● ●

　*LM*曲線に関する問題である。*LM*曲線は貨幣市場を均衡するGDPと利子率の
　組み合わせを描いた曲線である。

ア　✕：所得が増加すると貨幣の取引需要は増加するが、貨幣市場が均衡するため
　には増加した貨幣需要を減少させるために利子率が上昇しなければならない（利
　子率の上昇は貨幣の投機的需要を減少させる）。貨幣需要の所得感応度が大きい

ほど、所得の増加に対する貨幣の取引需要が大きくなり、均衡させるための利子率の上昇が大きくなる。つまり、貨幣需要の所得感応度が大きいほど、*LM*曲線の傾きはより**急になる**。

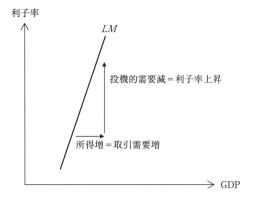

イ ○：正しい。利子率が上昇すると貨幣の投機的需要が減少するが、貨幣市場が均衡するためには減少した貨幣需要を増加させるためにGDPが増加しなければならない（GDPの増加は貨幣の取引需要を増加させる）。貨幣需要の利子感応度が大きいほど、利子率の上昇に対する貨幣の投機的需要の減少が大きくなり、均衡させるためのGDPの増加が大きくなる。つまり、貨幣需要の利子感応度が大きいほど、*LM*曲線の傾きは緩やかになる。

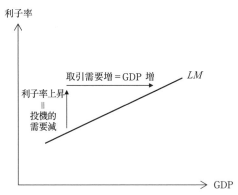

ウ ✕：資産効果とは保有資産残高が増えると豊かになったと感じ、消費を増やすという考え方である。資産効果により貨幣需要（取引需要）が増加すると、投機的需要を減少させるために利子率が上昇し、*LM*曲線を**上方（左方）にシフト**させる。

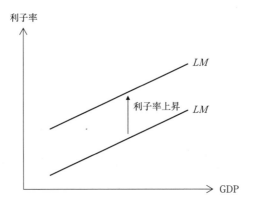

エ ✕：投資の利子感応度が大きいほど、*IS*曲線の傾きはより緩やかになる。

オ ✕：名目貨幣供給の増加は、貨幣の投機的需要の増加を促し、利子率を低下させる。よって、*LM*曲線を下方（右方）にシフトさせる。

よって、**イ**が正解である。

解答・解説

5年度

第9問

為替レートに関する問題である。

a ✕：アメリカの連邦準備制度理事会による政策金利の引き下げは、アメリカの債券の利子率を低下させることでドル需要が減少する。よって、**円高・ドル安への圧力を強める**と想定される。

b 〇：正しい。アメリカにおける市場予想を上回る雇用者数の増加はアメリカの株価の上昇を引き起こし、アメリカ証券の購入増加によりドル需要が増加する。よって、**円安・ドル高への圧力を強める**と想定される。

c 〇：正しい。世界的な原油価格の上昇は原油の産出に乏しい日本にとって輸入の増加につながり、ドル需要を増加させる。よって、**円安・ドル高への圧力を強める**と想定される。

d ✕：日本における消費者物価の持続的な下落は、**円高・ドル安への圧力を強める**と想定される（1ドル＝100円→1ドル＝95円）。

よって、**b**と**c**の組み合わせが正しく、**エ**が正解である。

第10問

マンデル＝フレミングモデルに関する問題である。

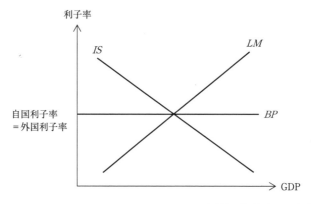

※解説の便宜上、一部加筆・修正。

設問1 ● ● ●

　マンデル＝フレミングモデルに関する問題である。

a　○：正しい。*BP*曲線とは、国際収支（経常収支＋資本収支）を均衡させるようなGDPと利子率の組み合わせを描いた曲線であり、資本移動が完全（国際的な資本移動が利子率に対して完全に弾力的であること）の場合、国内利子率＝外国利子率となるときに国際収支は均衡する。資本移動が完全の場合、*BP*曲線は水平に描かれる。

b　○：正しい。*IS*曲線は利子率の低下により投資が増加することでGDPが増加するため、右下がりに描かれる。開放経済の場合、GDPの増加に伴い輸入額が増加するため（限界輸入性向の存在）、GDPの増加幅は小さくなる。よって、閉鎖経済下の*IS*曲線に比べて急な形状になる。

c　✕：外国利子率が上昇すると、国際収支が均衡するために国内利子率が上昇する。よって、*BP*曲線は**上方にシフトする**。

　よって、**a**＝「正」、**b**＝「正」、**c**＝「誤」となり、**イ**が正解である。

設問2 ● ● ●

　マンデル＝フレミングモデルに関する問題である。完全資本移動、変動為替レート制を採用している場合の拡張的財政政策、拡張的金融政策の効果は以下のとおりである。

●完全資本移動、変動相場制における財政政策の効果

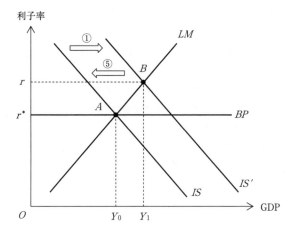

① 拡張的財政政策により*IS*曲線が右方にシフトし、国内利子率（ *r* ）が上昇する。

② 海外から国内へ資本流入が起こる（資本収支は黒字）。

③ 為替市場では、円買いドル売りが進む。

④ 変動相場制のもと、為替レートが円高ドル安になる。

⑤ 輸出が減少、輸入が増加し（経常収支は赤字）、*IS*曲線が左シフト（生産物市場の需要が減少）する。

⑥ GDPは当初の水準に戻ってしまう。

●完全資本移動、変動相場制における金融政策の効果

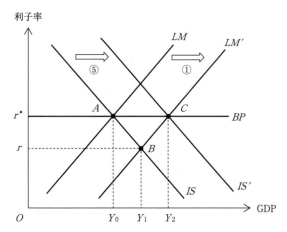

① 拡張的金融政策によりLM曲線が右方にシフトし、国内利子率（*r*）が低下する。

② 国内から海外へ資本流出が起こる（資本収支は赤字）。

③ 為替市場では、円売りドル買いが進む。

④ 変動相場制のもと、為替レートが円安ドル高になる。

⑤ 輸出が増加、輸入が減少し（経常収支は黒字）、*IS*曲線が右シフト（生産物市場の需要が増加）する。

⑥ GDPが大幅に増加する。

a 〇：正しい。

b ✕：政府支出の増加は、**自国通貨高による純輸出の減少によってその効果は相殺され、自国のGDPに影響しない。**

c ✕：名目貨幣供給の増加は、*LM*曲線を右方にシフトさせることは正しい。しかし、**自国通貨安による純輸出の増加によって自国のGDPを増加させる。**

d 〇：正しい。マンデル＝フレミングモデルにおける外国利子率の低下の効果は以下のとおりである。

●完全資本移動、変動相場制における外国利子率の低下の効果

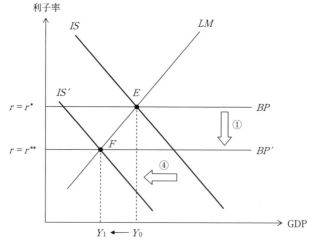

① 外国利子率の低下により*BP*曲線が下方シフトする。

② 国内利子率 *r* が外国利子率より高くなるため、海外から自国に**資本が流入**する。

③ 自国の為替レートが増価する。

④ 自国の輸出が減少して輸入が増加する（純輸出の減少が生じる）ため、経常収支が悪化する。最終的には国内利子率も外国利子率水準に等しくなる。国内利子率が低下すれば、民間投資も増加するが、民間投資の増加は経常収支の悪化に完全に相殺される。よって、*IS*曲線は左方にシフトする。

⑤ 最終的な均衡は点*F*であり、GDPは減少する。

よって、**a** ＝「正」、**b** ＝「誤」、**c** ＝「誤」、**d** ＝「正」となり、**ウ**が正解である。

第11問

国債に関する問題である。

設問1 ●●●

国債に関する問題である。

ア ○：正しい。例えば、額面1,000円、発行時の利子率10%の国債があるとする。この国債の利子額は1,000円×10％＝100円である。発行時の利子率は、額面に対する利子額の割合を示し、その利子額は市場に出回ってからも一定である。この国債の取引価格が上昇し、2,000円になったとする。このときの利子率（国債の利回り）は100円÷2,000円×100＝5％となる。

イ ×：マネーストック（広義流動性）には、現金通貨、預金通貨、準通貨、譲渡性預金、金融債、銀行発行普通社債、金銭の信託、金融機関発行*CP*、投資信託、**国債・外債など**が含まれる。

ウ ×：財政法では原則として日本銀行の引受けによる国債の発行を禁止している。しかし、市中消化された国債を売買することは可能であり、日本銀行は**債券の売買を通じてマネタリーベースの量をコントロールする公開市場操作を行っている**。

エ ×：**ウ**によって、日本銀行は市中銀行の保有する国債を買い取っている。つまり、**日本銀行は国債を保有している**。

オ ×：物価連動国債とは元金額が物価の動向に連動して増減するものである。具体的には、物価連動国債の発行後に物価が上昇すれば、その上昇率に応じて元金額が増加するものであり、**日本政府は2004年3月から物価連動国債を発行している**。

よって、**ア**が正解である。

設問2 ●●●

国債に関する問題である。

ア　○：正しい。課税平準化の理論とは、異時点間の税率選択にあたって課税のコストを最小限にするためには、時間を通じて税率を一定に保つことが最適であるとし、景気変動による一時的な財政支出と税収の差は公債発行で調整すべきとする考え方である。なお、超過負担とは課税によって生じる資源配分上の損失のことであり、死荷重（死重損失）のことである。そして、課税による超過負担の大小は主として税率と価格弾力性の水準によって決まる。

イ　✕：古典派の流れをくむマネタリストは、国債発行を伴う財政政策は、資産効果による金利上昇を通じて民間投資を減少させる効果（クラウディング・アウト）を持つと考える。

ウ　✕：ケインズ経済学の枠組みでは、流動性のわなが存在する状況下での財政政策は、クラウディング・アウトが生じず、有効である。

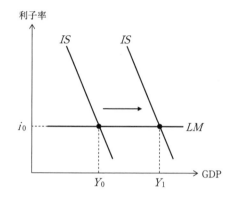

エ　✕：国債の中立命題にはいくつかの説がある。そのうちのバローの中立命題によると、公債の発行が将来の増税を予測させそれに備えて人々は貯蓄を行うため、租税による財源調達も公債による財源調達いずれの場合も民間貯蓄の大きさは同じになる（中立的）と考える。難解な選択肢であるが、マクロ経済に与える効果が中立的であるところが不適切なのかもしれない。

よって、**ア**が正解である。

第12問

市場均衡や余剰分析に関する問題である。

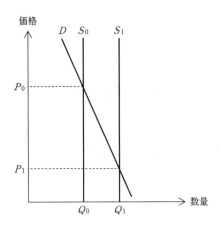

価格

D S_0 S_1

P_0

P_1

Q_0 Q_1 数量

解答・解説

5年度

※解説の便宜上、一部加筆・修正。

a 〇：正しい。価格の上昇に伴い供給量が大きく変化するため、傾きが緩やかな供給曲線ほど供給の価格弾力性は大きくなる。本問では、供給曲線が垂直であるため、供給の価格弾力性がゼロである。よって、価格の変化に応じて供給量を調整しないことがわかる。

b ✕：次の余剰分析より、**消費者余剰は増加する**ことがわかる。

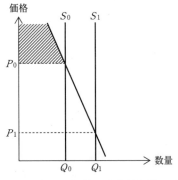

価格 S_0 S_1

P_0

P_1

Q_0 Q_1 数量

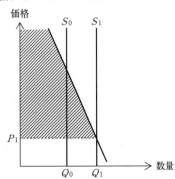

価格 S_0 S_1

P_1

Q_0 Q_1 数量

c ✕：**a**より、供給の価格弾力性は**ゼロ**である。

d 〇：正しい。本問は**a**、**b**、**c**の正誤を判定して選択肢を選ぶことが望ましい。

【参考】

　生産量がQ_0のときの生産者の収入は四角形P_0OQ_0A、生産量がQ_1のときの生産者の収入は四角形P_1OQ_1Bである。四角形P_1OQ_0Cは共通しているため、四角形P_0P_1CAと四角形CQ_0Q_1Bを比較することで収入の増減を把握することができる。

　生産量の増加により、収入が減少した場合、

四角形P_0P_1CA＞四角形CQ_0Q_1Bが成り立つ。

いま、価格の変化をΔP（価格は低下するため、マイナスの値となる）、数量の変化をΔQとすると、

$-\Delta P \times Q_0 > P_1 \times \Delta Q$

$-\Delta P \times Q_0 > \{P_0 - (-\Delta P)\} \times \Delta Q$

$-\Delta P \times Q_0 > (P_0 + \Delta P) \times \Delta Q$

$-\Delta P \times Q_0 > P_0 \times \Delta Q + \Delta P \times \Delta Q$

ここで、変化量の積$\Delta P \times \Delta Q$は微細な値であり、0とみなすことができる。

よって、

$-\Delta P \times Q_0 > P_0 \times \Delta Q$

両辺を$-\Delta P \times Q_0$で除して

$$1 > -\frac{\Delta Q}{\Delta P} \times \frac{P_0}{Q_0}$$

右辺は傾きの逆数×$\dfrac{価格}{数量}$であり、需要の価格弾力性を表している。

以上のことから、収入が減少するとき、需要の価格弾力性が1未満である。

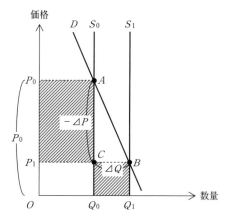

よって、**a**＝「正」、**b**＝「誤」、**c**＝「誤」、**d**＝「正」となり、**ウ**が正解である。

第13問

余剰分析（価格の上限規制）に関する問題である。政府が価格P_1を上限とする家賃規制を行うと、価格P_1は均衡価格P_0よりも低い水準であるため、価格P_1で取引が行われる。このときの供給量は供給曲線に従い、Q_1の水準となる。

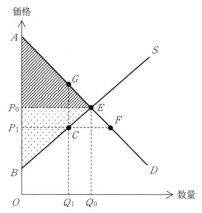

＜家賃規制前＞

消費者余剰　：$\triangle AP_0E$
（$\square AOQ_0E - \square P_0OQ_0E$）
生産者余剰　：$\triangle P_0BE$
（$\square P_0OQ_0E - \square BOQ_0E$）
社会的総余剰：$\triangle ABE$
（$\triangle AP_0E + \triangle P_0BE$）

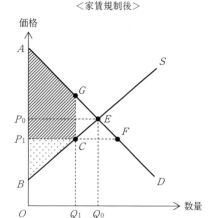

＜家賃規制後＞

消費者余剰　：$\square AP_1CG$
（$\square AOQ_1G - \square P_1OQ_1C$）
生産者余剰　：$\triangle P_1BC$
（$\square P_1OQ_1C - \square BOQ_1C$）
社会的総余剰：$\square ABCG$
（$\square AP_1CG + \triangle P_1BC$）
死荷重　　　：$\triangle\ GCE$
（$\triangle ABE - \square ABCG$）

a　✕：家賃規制導入後の消費者余剰は、**四角形AP_1CGで示される。**

b　〇：正しい。

c　〇：正しい。

d　✕：家賃規制導入によって生じた死荷重は、**三角形GCEで示される。**

　よって、**a** =「誤」、**b** =「正」、**c** =「正」、**d** =「誤」となり、**エ**が正解である。

第14問

総費用曲線に関する問題である。

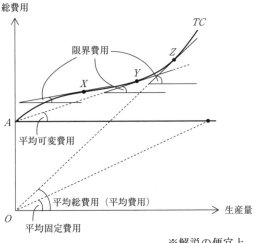

総費用

限界費用

平均可変費用

平均総費用（平均費用）

平均固定費用

生産量

※解説の便宜上、一部加筆・修正。

a ✕：平均固定費用はAからひいた水平の線上と原点を結んだ直線の傾きで示される。生産量が多いほど平均固定費用は減少する。よって、点Xで**平均固定費用が最小となっているわけではない**。

b ○：正しい。平均可変費用は点Aから総費用曲線上の点を結んだ直線の傾きで示される。図より、点Yを通るとき、傾きが最小であることがわかる。

c ○：正しい。平均総費用（平均費用）は原点から総費用曲線上の点を結んだ直線の傾きで示される。図より、点Zを通るとき、傾きが最小であることがわかる。

d ✕：限界費用は総費用曲線にひいた接線の傾きの大きさで示される。点Xから点Zにかけてひいた接線の傾きは徐々に大きくなっているため、限界費用は**逓増している**ことがわかる。

よって、**b**と**c**の組み合わせが正しく、**エ**が正解である。

第15問

等産出量曲線に関する問題である。等産出量曲線とは生産量が一定となる資本と労働の組み合わせを結んだ線である。

●本問の見方

左下の点をワインの原点O_w、右上の点をチーズの原点O_cとし、横軸は労働の賦存量（資源について理論的に導き出された総量のこと）を、縦軸は資本の賦存量を示している。ボックス内の点は、ワインとチーズの両財の賦存量の組み合わせを示している。次の例でいえば、点Aはワインの労働の賦存量が5、資本の賦存量が8

であることを表し、チーズの労働の賦存量が15、資本の賦存量が2であることを表す。

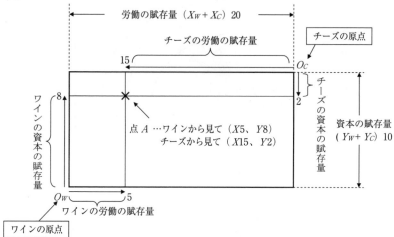

次にワインとチーズの等産出量曲線を考える。等産出量曲線は原点から離れるほど生産量が大きくなり、原点に対して凸の曲線となる。次図においてワインの等産出量曲線U^Wの効用水準の大小関係は$U_1^W < U_2^W < U_3^W$である。一方、チーズの等産出量曲線U^Cの効用水準の大小関係は$U_1^C < U_2^C < U_3^C$である。図ではそれぞれ3本の等産出量曲線のみ示されているが、それぞれの等産出量曲線は無数に存在する。

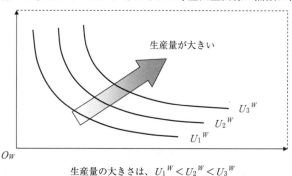

生産量の大きさは、$U_1^W < U_2^W < U_3^W$

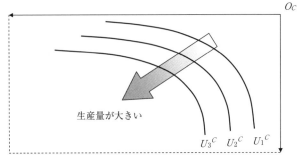

生産量の大きさは、$U_3{}^C > U_2{}^C > U_1{}^C$

双方の等産出量曲線を描くと次のようになる。

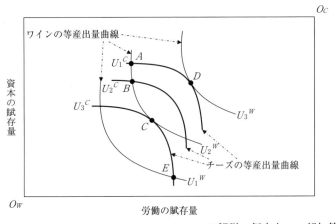

※解説の便宜上、一部加筆・修正。

●パレート効率となる賦存量の組み合わせ

　上図において$U_2{}^W$、$U_2{}^C$上にある点Bはパレート効率ではない。なぜなら、ワインの生産量を変えずに、チーズの生産量を増やす賦存量の組み合わせ（点C）にできるからである。また、点Dの賦存量の組み合わせでは、ワインの生産量を減少することなしにチーズの生産量を増加させることはできないため、パレート効率である。

　このように、本問においては、互いの等産出量曲線が接する点においてパレート効率が成立する。

　以上をふまえて、本問の選択肢を検討する。

a ✕：点Aでは、パレート効率は実現していない。

b ✕：点Dは点Cよりもワインの生産量が多い。

c ◯：正しい。生産性の効率性を改善するためにはパレート効率を実現させればよい。点Bはパレート効率が実現しておらず、点Cはパレート効率が実現しているため、点Bから点Cへの変化は、生産の効率性を改善する。

d ✕：技術的限界代替率とは労働の賦存量が1単位増加したとき、生産量を維持する前提で減らせる資本の賦存量のことであり、等産出量曲線の接線の傾きの大きさで示される。点Eにおけるワイン、チーズの等産出量曲線の接線の傾きの大きさは異なっているため、資本と労働の**技術的限界代替率は等しくない**ことがわかる。なお、2つの等産出量曲線が接している点において技術的限界代替率は等しくなる。

よって、**a** =「誤」、**b** =「誤」、**c** =「正」、**d** =「誤」となり、**オ**が正解である。

第16問

エンゲル曲線に関する問題である。エンゲル曲線とは、所得と財の消費量の関係を表したグラフである。まずは、需要の所得弾力性と財の分類について確認する。

$$\text{需要の所得弾力性（}\eta\text{）} = \frac{\text{需要量（}D\text{）の変化率}}{\text{所得（}m\text{）の変化率}} = \frac{\dfrac{\Delta D}{D}}{\dfrac{\Delta m}{m}} = \frac{\Delta D}{\Delta m} \times \frac{m}{D}$$

＜財の分類＞

η の値		
$\eta \geq 1$	上級財	奢侈品
$1 > \eta > 0$		必需品
$\eta = 0$	中立財	
$\eta < 0$	下級財	

・所得の増加で消費量が増加する財 → 上級財
・所得の増加で消費量が変わらない財 → 中立財
・所得の増加で消費量が減少する財 → 下級財

a ✕：所得Y_1の領域の需要の所得弾力性は$\dfrac{15-10}{200-100} \times \dfrac{100}{10} = 0.5$である。よって、この財は**必需品**であると判断される。

b ◯：正しい。所得Y_2の領域では、所得の増加に伴い消費量が増加しているため、この財は上級財であると判断される。

c ✕：所得Y_3の領域では、所得の増加に伴い消費量が減少しているため、この財は**下級財**であると判断される。

よって、**a** =「誤」、**b** =「正」、**c** =「誤」となり、**エ**が正解である。

外部不経済に関する問題である。負の外部性が存在する状況では市場での自由な取引に任せていては、供給は過大になり、社会的に望ましい状態は実現できない。二酸化炭素の排出量を基準とした化石燃料への課税のように、外部不経済を発生している主体に社会的な費用を負担させ、（これを外部性の内部化という）社会的に望ましい生産量にする必要がある。本問においては、政策や制度によって供給量が減るかどうかを考えると良いかもしれない。

よって、**エ**が正解である。

情報の不完全性に関する問題である。モラルハザードは行動に関する情報の非対称性がある場合において契約後に発生する。モラルハザードを軽減するために、情報量が乏しい主体の意図どおりに行動するインセンティブをもつような契約内容にするなどを行う。本問においては、**ドライバーが事故に伴う損害費用のうち一定金額を超える部分のみ補償を行うことで、ドライバーに対し事故を起こさないことについてのイ**ンセンティブが働く。

よって、**エ**が正解である。

費用逓減産業に関する問題である。平均費用価格形成原理とは「価格 = 平均費用」となる水準に価格を規制することであり、本問においては価格がP_2となる水準に決定される。限界費用価格形成原理とは「価格 = 限界費用」となる水準に価格を規制することであり、本問においては価格がP_4となる水準に決定される。

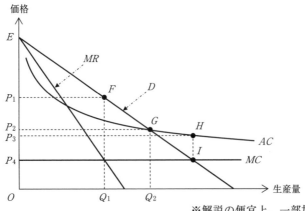

※解説の便宜上、一部加筆・修正。

＜平均費用価格形成原理＞

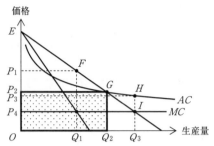 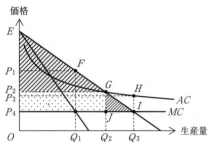

価格　：P_2
生産量：Q_2
収入　：□P_2OQ_2G
（$P_2O × OQ_2$）
総費用：□P_2OQ_2G
（$GQ_2 × OQ_2$）

消費者余剰　：△EP_2G
（□EOQ_2G－□P_2OQ_2G）
生産者余剰　：□P_2P_4JG
（□P_2OQ_2G－□P_4OQ_2J）
社会的総余剰：□EP_4JG
（△EP_2G＋□P_2P_4JG）
死荷重　　　：△GJI
（△EP_4I－□EP_4JG）

a ○：正しい。平均費用価格形成原理の下における総収入は四角形P_2OQ_2G（価格 P_2×数量Q_2）、総費用は四角形P_2OQ_2G（平均費用GQ_2×数量Q_2）で示される。

b ×：平均費用価格形成原理の下で、生産者余剰は「収入（四角形P_2OQ_2G）－可 変費用（P_4OQ_2J）」より、**四角形P_2P_4JG**である。

＜限界費用価格形成原理＞

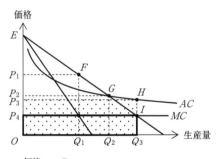 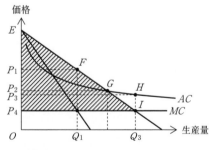

価格　：P_4
生産量：Q_3
収入　：□P_4OQ_3I
（$P_4O × OQ_3$）
総費用：□P_3OQ_3H
（$HQ_3 × OQ_3$）

消費者余剰　：△EP_4I
（□EOQ_3I－□P_4OQ_3I）
生産者余剰　：なし
（□P_4OQ_3I－□P_4OQ_3I）
社会的総余剰：△EP_4I
（△EP_4I＋なし）

c ×：限界費用価格形成原理の下で、消費者余剰は「消費者が支払うつもりのある

総額（四角形EOQ_3I）－実際に支払った額（四角形P_4OQ_3I）」より、**三角形EP_4Iで**
ある。

d　〇：正しい。限界費用価格形成原理の下で、収入は四角形P_4OQ_3I（価格P_4×数
量Q_3）、総費用は四角形P_3OQ_3H（平均費用HQ_3×数量Q_3）であり、それらの差額で
ある損失は四角形P_3P_4IHである。

よって、**a**＝「正」、**b**＝「誤」、**c**＝「誤」、**d**＝「正」となり、**イ**が正解である。

第20問

　需要独占に関する問題である。労働市場において、需要者は企業であり、供給者は
家計である。地域で生産活動を行う企業（需要者）が1社のみの場合、供給者（家計）
はその企業に勤めるしかないため、企業は賃金を低く抑えることができる。このよう
な企業が利潤を最大化するためには、追加的に発生する労働によって得られる収入と
費用を一致する水準に雇用量を決定することとなる。本問の場合、企業が追加的に発
生する労働によって得られる収入は労働需要曲線、追加的に発生する費用は労働の限
界費用曲線で示される。以上のことから、雇用量は労働需要曲線と限界費用曲線の交
点Fの水準であるQ_1に設定される。

　労働供給曲線は賃金率と労働供給量の関係を表す曲線である。雇用量がQ_1に設定
されれば、W_1の賃金率で雇用されることとなる（雇用量がQ_1のとき、企業は追加的
な労働によりW_2の収入があるが、家計がW_1の賃金率で働いてくれるため、W_2より低
いW_1の賃金率で雇用することとなる）。

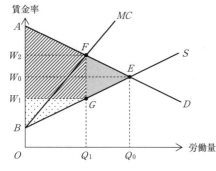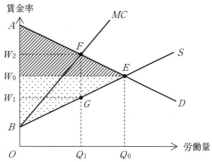

最低賃金設定前	最低賃金設定後

<最低賃金設定前＞

賃金率　　　：W_1
労働量　　　：Q_1
消費者余剰　：□AW_1GF
　（企業）　（□AOQ_1F－□W_1OQ_1G）
生産者余剰　：△W_1BG
　（労働者）（□W_1OQ_1G－□BOQ_1G）
社会的総余剰：□$ABGF$
　（□AW_1GF＋△W_1BG）
死荷重　　　：△FGE
　（△ABE－□$ABGF$）

＜最低賃金設定後＞

賃金率　　　：W_0
労働量　　　：Q_0
消費者余剰　：△AW_0E
　（企業）　（□AOQ_0E－□W_0OQ_0E）
生産者余剰　：△W_0BE
　（労働者）（□W_0OQ_0E－□BOQ_0E）
社会的総余剰：△ABE
　（△AW_0E＋△W_0BE）

a　○：正しい。

b　×：労働者の余剰は、**三角形W_1BG**である。

c　○：正しい。

d　○：正しい。最低賃金率がW_0に設定されると、労働投入量はQ_1からQ_0へと増加する。

よって、**a**＝「正」、**b**＝「誤」、**c**＝「正」、**d**＝「正」となり、**エ**が正解である。

第21問

自由貿易の理論に関する問題である。閉鎖経済から貿易の自由化により外国に輸出された場合、価格が国内価格P_0から国際価格P_fへと上昇する。この結果、国内消費者の需要量はQ_0からQ_1へと減少し、国内生産者の供給量はQ_0からQ_2へと増加する。この国内需要量と供給量の差Q_1Q_2が輸出量となる。

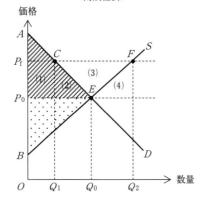

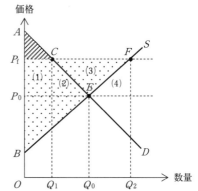

価格　　　　　　　：P_0
数量　　　　　　　：Q_0
消費者余剰　　　：$\triangle AP_0E$
　　　（$\square AOQ_0E - \square P_0OQ_0E$）
生産者余剰　　　：$\triangle P_0BE$
　　　（$\square P_0OQ_0E - \square BOQ_0E$）
社会的総余剰：$\triangle ABE$
　　　（$\triangle AP_0E + \triangle P_0BE$）

価格　　　　　　　：P_f
国内消費者の需要量：Q_1
国内生産者の供給量：Q_2
輸出量　　　　　　：$Q_2 - Q_1$
消費者余剰　　　：$\triangle AP_fC$
　　　（$\square AOQ_1C - \square P_fOQ_1C$）
生産者余剰　　　：$\triangle P_fBF$
　　　（$\square P_fOQ_2F - \square BOQ_2F$）
社会的総余剰：$\square ABFC$
　　　（$\triangle AP_fC + \triangle P_fBF$）

a 〇：正しい。

b ✕：貿易自由化による消費者余剰の減少分は、(1)、(2)の合計である。

c ✕：貿易自由化による生産者余剰の増加分は、(1)、(2)、(3)の合計である。

d 〇：正しい。

　　よって、**a** =「正」、**b** =「誤」、**c** =「誤」、**d** =「正」となり、**ウ**が正解である。

第22問

ゲーム理論に関する問題である。

		企業 Y	
		カルテルを守る	カルテルを破る
企業 X	カルテルを守る	（ 50 ， 40 ）	（− 20 ， 60 ）
	カルテルを破る	（ 60 ， − 20 ）	（ 0 ， 0 ）

※解説の便宜上、一部加筆・修正。

●企業 X の意思決定
① 企業 Y が「カルテルを守る」を選択することを想定した場合
$\begin{cases} \text{・「カルテルを守る」を選択 → 「50」の利得} \\ \text{・「カルテルを破る」を選択 → 「60」の利得} \end{cases}$
→企業Xは、「カルテルを破る」を選ぶ。　←

② 企業 Y が「カルテルを破る」を選択することを想定した場合
$\begin{cases} \text{・「カルテルを守る」を選択 → 「− 20」の利得} \\ \text{・「カルテルを破る」を選択 → 「0」の利得} \end{cases}$
→企業Xは、「カルテルを破る」を選ぶ。　←

企業 X は、企業 Y の選択にかかわらず、「カルテルを破る」を選ぶ。
→「カルテルを破る」は企業 X の支配戦略となる。

●企業 Y の意思決定
① 企業 X が「カルテルを守る」を選択することを想定した場合
$\begin{cases} \text{・「カルテルを守る」を選択 → 「40」の利得} \\ \text{・「カルテルを破る」を選択 → 「60」の利得} \end{cases}$
→企業Yは、「カルテルを破る」を選ぶ。　←

② 企業 X が「カルテルを破る」を選択することを想定した場合
$\begin{cases} \text{・「カルテルを守る」を選択 → 「− 20」の利得} \\ \text{・「カルテルを破る」を選択 → 「0」の利得} \end{cases}$
→企業Yは、「カルテルを破る」を選ぶ。　←

企業 Y は、企業 X の選択にかかわらず、「カルテルを破る」を選ぶ。
→「カルテルを破る」は企業 Y の支配戦略となる。

a　○：正しい。最適反応とはプレイヤーが自らの利得を最大にするために最適な戦略をとることである。

b　✕：企業Yが「カルテルを守る」場合において、企業Xの最適反応は「カルテルを破る」である。

c　✕：ナッシュ均衡とは、各プレイヤーが最適な戦略をとりあっている状態であり、本問ではともに「カルテルを破る」組み合わせである。

d　○：正しい。

よって、**a**と**d**の組み合わせが正しく、**イ**が正解である。

令和 4 年度問題

令和 **4** 年度 問題

第1問

　下図は、1990年以降の日本について、ジニ係数を使い、所得再分配政策による所得格差の改善状況の推移を示したものである。「当初所得ジニ係数」は当初所得（所得再分配前の所得）のジニ係数、「再分配所得ジニ係数」は再分配所得（所得再分配後の所得）のジニ係数、「改善度」は所得再分配によるジニ係数の改善度（％）である。

　この図から分かる日本の所得格差に関する記述の正誤の組み合わせとして、最も適切なものを下記の解答群から選べ。

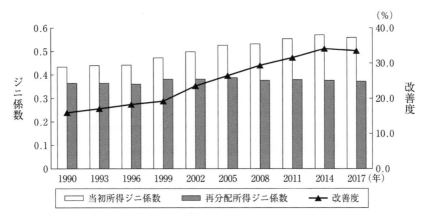

出所：厚生労働省『令和2年度版厚生労働白書』

a　1990年代に比べて、2000年代以降には、所得再分配前の所得格差が拡大している。

b　2010年代は、それ以前に比べて、所得再分配政策による所得格差の改善度が大きい。

c　2010年代は、所得再分配政策によって、かえって所得格差が拡大している。

```
［解答群］
ア　a：正　　b：正　　c：誤

イ　a：正　　b：誤　　c：正

ウ　a：正　　b：誤　　c：誤

エ　a：誤　　b：正　　c：誤

オ　a：誤　　b：誤　　c：正
```

問題

4
年
度

下図は、2015年度から2020年度における日本の実質GDP成長率と各需要項目の前年度比寄与度（％）を示している。

図中のa～cに該当する項目の組み合わせとして、最も適切なものを下記の解答群から選べ。

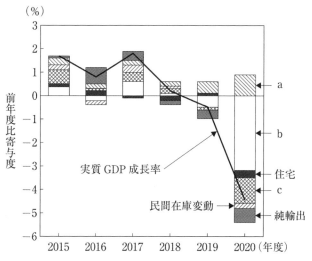

出所：内閣府『令和3年度経済財政白書』

[解答群]
ア　a：公需　　　　b：個人消費　　c：設備投資

イ　a：公需　　　　b：設備投資　　c：個人消費

ウ　a：個人消費　　b：公需　　　　c：設備投資

エ　a：個人消費　　b：設備投資　　c：公需

オ　a：設備投資　　b：個人消費　　c：公需

国民経済計算の考え方に関する記述として、最も適切なものはどれか。

ア　生き物である乳牛や果樹などの動植物の価値は、GDPの計算に算入されない。

イ　国民経済計算における国民の概念は、当該国の居住者を対象とする概念であり、GDPの計算上は国籍によって判断される。

ウ　山林の土地の価値は、土地に定着するものとして、民有林の立木の評価額を含む。

エ　消費者としての家計が住宅や自動車を購入すると、耐久消費財の最終消費支出となり、総固定資本形成に計上される。

オ　持ち家の帰属家賃や農家の自家消費は、市場において対価の支払いを伴う取引が実際に行われているわけではないが、家計最終消費支出に含まれる。

第4問　★重要★

　絶対所得仮説によって所得と消費の関係を述べた記述として、最も適切なものはどれか。

ア　今月は職場で臨時の特別手当が支給されたので、自分へのご褒美として、外食の回数を増やすことにした。

イ　将来の年金が不安なので、節約して消費を抑制することにした。

ウ　職場の同僚が旅行に行くことに影響を受けて、自分も旅行に行くことにした。

エ　新型コロナウイルスの影響で今年の所得は減りそうだが、これまでの消費習慣を変更することは困難なので、これまでどおりの消費を続けることにした。

オ　賃上げによって給料が増えることになったが、不景気が当分続きそうなので、消費は増やさないことにした。

第5問　★重要★

　生産物市場の均衡条件が、次のように表されるとする。

生産物市場の均衡条件　　$Y = C + I + G$
　消費関数　　　　　　　$C = 10 + 0.8Y$
　投資支出　　　　　　　$I = 30$
　政府支出　　　　　　　$G = 60$

ただし、Y は所得、C は消費支出、I は投資支出、G は政府支出である。

　いま、貯蓄意欲が高まって、消費関数が $C = 10 + 0.75Y$ になったとする。このときの政府支出乗数の変化に関する記述として、最も適切なものはどれか。

ア　貯蓄意欲が高まったとしても、政府支出乗数は 4 のままであり、変化しない。

イ　貯蓄意欲が高まったとしても、政府支出乗数は 5 のままであり、変化しない。

ウ　貯蓄意欲の高まりによって、政府支出乗数は 4 から 5 へと上昇する。

エ　貯蓄意欲の高まりによって、政府支出乗数は5から4へと低下する。

　下図は、45度線図である。この図において、総需要は$AD = C + I + G$（ただし、ADは総需要、Cは消費支出、Iは投資支出、Gは政府支出）、消費関数は$C = C_0 + cY$（ただし、C_0は基礎消費、cは限界消費性向（$0 < c < 1$）、YはGDP）によって表されるとする。図中におけるY_Fは完全雇用GDP、Y_0は現実のGDPである。

　この図に基づいて、下記の設問に答えよ。

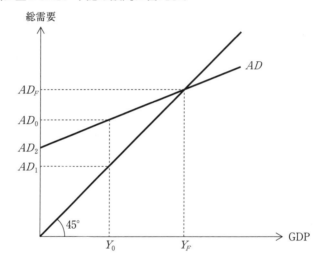

　この図に関する記述の正誤の組み合わせとして、最も適切なものを下記の解答群から選べ。

a　総需要線ADの傾きは、cに等しい。

b　投資支出1単位の増加によるGDPの増加は、政府支出1単位の増加によるGDPの増加より大きい。

c　総需要線ADの縦軸の切片の大きさは、C_0である。

設問2 ●●●

　GDPの決定に関する記述として、最も適切なものはどれか。

ア　$AD_F - AD_0$の大きさだけの政府支出の増加によって、完全雇用GDPを実現できる。

イ　$AD_F - AD_1$の大きさだけの政府支出の増加によって、完全雇用GDPを実現できる。

ウ　$AD_F - AD_2$の大きさだけの政府支出の増加によって、完全雇用GDPを実現できる。

エ　$AD_0 - AD_1$の大きさだけの政府支出の増加によって、完全雇用GDPを実現できる。

オ　$AD_0 - AD_2$の大きさだけの政府支出の増加によって、完全雇用GDPを実現できる。

第7問　　★ 重要 ★

　下図には、右下がりの総需要曲線 AD と垂直な総供給曲線 AS が描かれている。Y_F は完全雇用GDPである。

　この図に基づいて、下記の設問に答えよ。

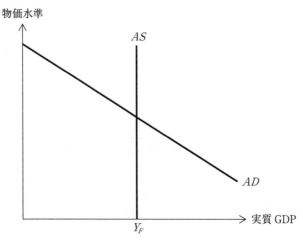

古典派モデルにおける総需要曲線 AD と総供給曲線 AS に関する記述として、最も適切なものはどれか。

ア 利子率の低下は貨幣需要を増加させる。したがって、物価水準の上昇は、実質利子率の低下による実質投資支出の増加をもたらし、総需要を増加させる。

イ 利子率は貨幣需要に影響を与えない。したがって、物価水準の上昇は、実質利子率の低下による実質投資支出の増加を通じて、総需要を増加させる。

ウ 利子率は貨幣需要に影響を与えない。したがって、物価水準の上昇は、実質利子率を低下させるが、実質投資支出に影響を与えず、総需要も変化しない。

エ 労働市場においては実質賃金率の調整によって完全雇用が実現する。したがって、物価水準が上昇すると、実質賃金率の下落による労働需要の増加を通じて総供給が増加する。

オ 労働市場は完全雇用水準で均衡している。したがって、物価水準が変化しても、名目賃金率が同率で変化するので、雇用量が変化することはなく、生産量も完全雇用水準で維持されたままであり、総供給も変化しない。

財政・金融政策の効果に関する記述として、最も適切なものはどれか。

ア 政府支出の増加は、総需要を変化させないが、総供給を増加させる。

イ 政府支出の増加は、物価水準の下落を通じて、実質GDPを増加させる。

ウ 名目貨幣供給の増加は、物価と名目賃金率を同率で引き上げ、実質GDPには影響を与えない。

エ 名目貨幣供給の増加は、実質貨幣供給を一定に保つように物価を引き上げるとともに、実質GDPを増加させる。

第8問

景気循環に関する記述として、最も適切なものはどれか。

ア 景気循環の1周期は、景気の谷から山までである。

イ 景気循環の転換点は、名目GDPの変化によって判断する。

ウ 景気循環の最も短い周期は、設備投資の変動が主な要因であると考えられている。

エ 景気の谷から山にかけての期間は、景気の拡張期である。

第9問

　金利平価説による為替レートの決定に関する記述として、最も適切な組み合わせを下記の解答群から選べ。

a　将来の為替レートが円高に進むと予想するとき、現在の為替レートも円高に変化する。

b　将来の為替レートが円安に進むと予想するとき、現在の為替レートは円高に変化する。

c　日本の利子率が低下すると、円の価値は低下し、為替レートは円安に変化する。

d　日本の利子率が低下すると、円の価値は上昇し、為替レートは円高に変化する。

[解答群]
ア　aとc　　イ　aとd　　ウ　bとc　　エ　bとd

第10問

　自然失業率仮説に関する記述として、最も適切な組み合わせを下記の解答群から選べ。

a　自然失業率は、現実のインフレ率と期待インフレ率が等しいときの失業率である。

b　現実の失業率が自然失業率よりも高いとき、現実のインフレ率は期待インフレ率よりも高くなる。

c　自然失業率仮説によると、短期的には失業とインフレ率の間にトレード・オフの関係は存在しない。

d　自然失業率仮説によると、長期的には失業とインフレ率の間にトレード・オフの関係は存在しない。

[解答群]
ア　aとc　　イ　aとd　　ウ　bとc　　エ　bとd

下図には、需要曲線が描かれている。この図に関する記述の正誤の組み合わせとして、最も適切なものを下記の解答群から選べ。

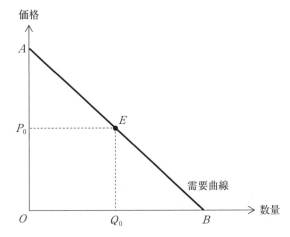

a　価格が下落すると、消費者の限界価値が低下する。

b　価格がP_0のときの消費者の支払意思額は三角形AEP_0で示される。

c　価格がP_0のときの実際の支払額は四角形OP_0EQ_0で示される。

[解答群]
ア　a：正　　b：正　　c：正

イ　a：正　　b：誤　　c：正

ウ　a：正　　b：誤　　c：誤

エ　a：誤　　b：正　　c：正

オ　a：誤　　b：正　　c：誤

第12問

下図には、供給曲線が描かれている。この図に関する記述の正誤の組み合わせとして、最も適切なものを下記の解答群から選べ。

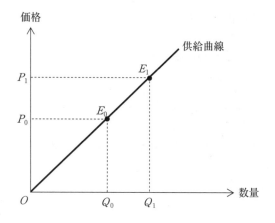

a　生産量が拡大するにつれて、限界費用は増加する。

b　価格がP_0のとき、生産者が必要最低限回収しなければならない費用の合計は三角形OE_0Q_0で示される。

c　価格がP_1のときの生産者余剰は、台形$P_1E_1E_0P_0$で示される。

[解答群]
ア　a：正　　b：正　　c：正
イ　a：正　　b：正　　c：誤
ウ　a：正　　b：誤　　c：誤
エ　a：誤　　b：正　　c：誤
オ　a：誤　　b：誤　　c：正

第13問　　★ 重要 ★

代替財、補完財と需要曲線のシフトについて考える。ここでは図は省略するが、縦軸に価格、横軸に数量をとるものとする。2財の関係が代替財あるいは補完財であるときの需要曲線のシフトに関する記述として、最も適切な組み合わせを下記の解答群から選べ。

a　A財とB財が代替財の関係にあるとき、A財の価格の下落によって、B財の需要曲線は右方にシフトする。

b　C財とD財が補完財の関係にあるとき、C財の価格の下落によって、D財の需要曲線は右方にシフトする。

c A財とB財が代替財の関係にあるとき、A財の価格の上昇によって、B財の需要曲線は右方にシフトする。

d C財とD財が補完財の関係にあるとき、C財の価格の上昇によって、D財の需要曲線は右方にシフトする。

[解答群]
ア aとb　イ aとd　ウ bとc　エ cとd

第14問　★ 重要 ★

下図には、$Q=-P+10$で表される需要曲線が描かれている（Qは需要量、Pは価格）。点Aおよび点Bにおける需要の価格弾力性（絶対値）に関する記述として、最も適切なものを下記の解答群から選べ。

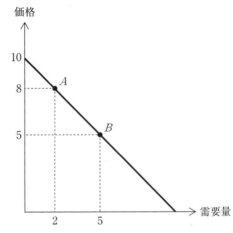

[解答群]
ア 需要の価格弾力性は、点Aのとき1であり、点Bのとき1である。
イ 需要の価格弾力性は、点Aのとき1であり、点Bのとき4である。
ウ 需要の価格弾力性は、点Aのとき4であり、点Bのとき1である。
エ 需要の価格弾力性は、点Aのとき4であり、点Bのとき4である。

利潤最大化を達成するための最適生産について考えるためには、総収入と総費用の関係を見ることが重要である。下図には、総収入曲線 *TR* と総費用曲線 *TC* が描かれている。

この図に基づいて、下記の設問に答えよ。

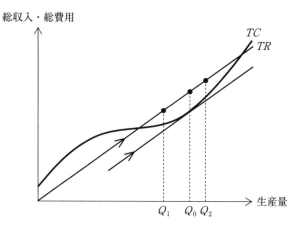

設問1 • • •

費用関数に関する記述の正誤の組み合わせとして、最も適切なものを下記の解答群から選べ。

a　総費用曲線 *TC* の縦軸の切片は、固定費用に等しい。

b　平均費用が最小値を迎えるところでは、限界費用と平均費用が一致する。

c　生産量の増加に比例して、平均費用も増加していく。

[解答群]

ア　a：正　　b：正　　c：正

イ　a：正　　b：正　　c：誤

ウ　a：正　　b：誤　　c：誤

エ　a：誤　　b：正　　c：正

オ　a：誤　　b：誤　　c：正

　利潤に関する記述の正誤の組み合わせとして、最も適切なものを下記の解答群から選べ。

a　Q_1の生産量では、価格が限界費用を上回っており、生産を増やせば利潤が増加する。

b　Q_0の生産量では、総収入曲線の傾きと、総費用曲線の接線の傾きが等しくなっており、利潤最大化と最適生産が実現している。

c　Q_2の生産量では、限界費用が価格を上回っており、生産を減らせば利潤が増加する。

[解答群]
ア　a：正　　b：正　　c：正
イ　a：正　　b：正　　c：誤
ウ　a：正　　b：誤　　c：正
エ　a：誤　　b：正　　c：正
オ　a：誤　　b：正　　c：誤

第16問

　財の生産においては、労働や資本といった生産要素を効率的に投入することが必要となる。下図では、最適な生産要素の投入量を考えるために、等産出量曲線と等費用線が描かれている。

　この図に基づいて、下記の設問に答えよ。

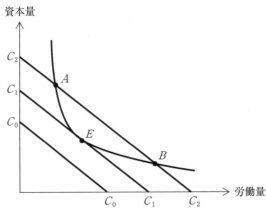

設問1 ●●●

　等費用線に関する記述の正誤の組み合わせとして、最も適切なものを下記の解答群から選べ。

a　等費用線の傾きは、賃金が下落するほど、急勾配に描かれる。

b　費用が増加すると、等費用線$C_0 C_0$は、$C_1 C_1$へとシフトする。

c　縦軸の切片の値は、資本のみを投入する場合の費用を示している。

[解答群]
ア　a：正　　b：正　　c：誤
イ　a：正　　b：誤　　c：正
ウ　a：正　　b：誤　　c：誤
エ　a：誤　　b：正　　c：正
オ　a：誤　　b：正　　c：誤

設問2 ●●●

　この図に関する記述の正誤の組み合わせとして、最も適切なものを下記の解答群から選べ。

a　点Aから等産出量曲線に沿って、労働量を増やし資本量を減らすと、点Eにおいて最適投入を達成できる。

b　点Bでは、技術的限界代替率が要素価格比率より大きい。

c　点Eでは、要素価格1単位当たりの限界生産物が均等化する。

[解答群]
ア　a：正　　b：正　　c：正
イ　a：正　　b：誤　　c：正
ウ　a：正　　b：誤　　c：誤
エ　a：誤　　b：正　　c：誤
オ　a：誤　　b：誤　　c：正

　完全競争と不完全競争における市場の特徴に関する記述の正誤の組み合わせ
として、最も適切なものを下記の解答群から選べ。

a　完全競争市場の売り手は多数であるのに対して、独占的競争市場では売り手が少
　数である。

b　完全競争市場の売り手はプライス・テイカーであるのに対して、不完全競争市場
　における売り手はプライス・メイカーである。

c　完全競争市場の売り手が同質財のみを生産するのと同様に、不完全競争市場にお
　ける売り手も同質財のみを生産する。

```
[解答群]
ア　a：正　　b：正　　c：正

イ　a：正　　b：誤　　c：誤

ウ　a：誤　　b：正　　c：正

エ　a：誤　　b：正　　c：誤

オ　a：誤　　b：誤　　c：正
```

第18問　　★重要★

　生活の中での絶対優位、比較優位と機会費用について考える。

　下表に示すように、Aさんは30分間で、おにぎりであれば10個、サンドイッ
チであれば6個作ることができる。また、Bさんは30分間で、おにぎりであれ
ば6個、サンドイッチであれば2個作ることができる。

　AさんとBさんが持つ絶対優位、比較優位と機会費用に関する記述として、
最も適切な組み合わせを下記の解答群から選べ。

	おにぎり	サンドイッチ
Aさん	10個／30分	6個／30分
Bさん	6個／30分	2個／30分

a　Aさんにとって、おにぎりを1個作ることの機会費用は、サンドイッチ$\frac{3}{5}$個で
　ある。

b　Bさんにとって、おにぎりを1個作ることの機会費用は、サンドイッチ3個であ

る。

c おにぎりとサンドイッチを作ることの両方に絶対優位を持っているのは、Bさん
である。

d サンドイッチを作ることに比較優位を持っているのは、Aさんである。

[解答群]

ア aとb　　イ aとd　　ウ bとc　　エ bとd　　オ cとd

下図によって、資本移動の自由化の効果を考える。最も単純なケースを想定
して、世界にはⅠ国とⅡ国があり、両国とも生産要素として資本と労働を利用
して同一財を生産しており、労働投入量は一定であるとする。下図で、$MPK_Ⅰ$
と$MPK_Ⅱ$は、Ⅰ国とⅡ国の資本の限界生産物曲線であり、いずれも資本の限界
生産物は逓減すると仮定している（財の国内価格は、いずれも１とする）。資
本市場を開放しない場合、Ⅰ国とⅡ国の保有する資本量はそれぞれ$O_ⅠC$と$O_Ⅱ$
Cであり、このときの資本のレンタル料はそれぞれ$r_Ⅰ$と$r_Ⅱ$である。

資本移動の自由化の効果に関する記述として、最も適切な組み合わせを下記
の解答群から選べ。

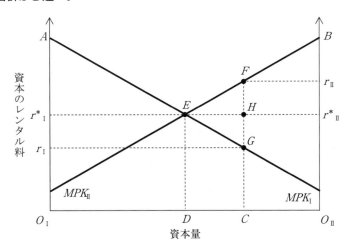

問題

4年度

115

a　資本移動の自由化によって、Ⅰ国からⅡ国への資本移動が生じ、資本のレンタル料はⅠ国が$r^*{}_Ⅰ$、Ⅱ国が$r^*{}_Ⅱ$になる。

b　資本移動の結果、労働者の賃金所得は、Ⅰ国では四角形$O_Ⅰ r^*{}_ⅠHC$に増加し、Ⅱ国では四角形$O_Ⅱ r^*{}_ⅡHC$に減少する。

c　資本移動の結果、資本所有者のレンタル所得は、Ⅰ国では三角形$AE r^*{}_Ⅰ$に減少し、Ⅱ国では三角形$BE r^*{}_Ⅱ$に増加する。

d　資本移動の自由化によって、世界全体で三角形EFGの所得が増加する。

［解答群］

ア　aとb　　イ　aとc　　ウ　aとd　　エ　bとd　　オ　cとd

第20問　　★ 重要 ★

世界経済が低迷する中、国際的な政策協調が必要とされている。

いま、隣り合うA国とB国が「環境保護」と「経済成長」を目的とする政策を選択する。下表は、両国の利得表であり、カッコ内の左側がA国の利得、右側がB国の利得を示している。

このゲームに関する記述として、最も適切なものを下記の解答群から選べ。

		B国	
		環境保護	経済成長
A国	環境保護	（ 500 ， 500）	（－500 ，1,000）
	経済成長	（1,000 ，－500）	（ 0 ， 0）

［解答群］

ア　このゲームでは、A国が「環境保護」を優先させる政策を選べば、B国は「経済成長」を優先させる政策を選ぶ方がよい。

イ　このゲームでは、両国が協調して「環境保護」を優先させる政策を選べば、利得をさらに高めるために、戦略を変える必要はない。

ウ　このゲームにおけるA国の最適反応は、「環境保護」を優先させる政策を選ぶ場合である。

エ　このゲームのナッシュ均衡は、両国が「環境保護」を優先させる政策をとる組み合わせと、両国が「経済成長」を優先させる政策をとる組み合わせの2つである。

　情報の非対称性がもたらす逆選択に関する記述の正誤の組み合わせとして、最も適切なものを下記の解答群から選べ。

a　自動車保険における免責事項には、保険の契約後に生じる逆選択を減らす効果が期待できる。

b　医療保険制度を任意保険ではなく強制保険にすることには、病気になるリスクの高い人のみが医療保険に加入するという逆選択を減らす効果が期待できる。

c　企業が新たに従業員を雇う際に、履歴書だけではなく、その応募者のことをよく知っている人からの推薦状を求めることには、見込み違いの従業員を雇ってしまうという逆選択を減らすことが期待できる。

```
［解答群］
ア　a：正　　b：正　　c：誤
イ　a：正　　b：誤　　c：正
ウ　a：誤　　b：正　　c：正
エ　a：誤　　b：正　　c：誤
オ　a：誤　　b：誤　　c：正
```

令和 **4** 年度
解答・解説

nswers

問題	解答	配点	正答率※	問題	解答	配点	正答率※	問題	解答	配点	正答率※
第1問	ア	4	C	第9問	ア	4	B	第17問	エ	4	C
第2問	ア	4	C	第10問	イ	4	D	第18問	イ	4	B
第3問	オ	4	B	第11問	イ	4	C	第19問	ウ	4	C
第4問	ア	4	B	第12問	イ	4	E	第20問	ア	4	A
第5問	エ	4	A	第13問	ウ	4	B	第21問	ウ	4	C
第6問 (設問1)	ウ	4	B	第14問	ウ	4	C				
第6問 (設問2)	エ	4	D	第15問 (設問1)	イ	4	C				
第7問 (設問1)	オ	4	C	第15問 (設問2)	ア	4	C				
第7問 (設問2)	ウ	4	C	第16問 (設問1)	オ	4	E				
第8問	エ	4	A	第16問 (設問2)	イ	4	C				

※TACデータリサーチによる正答率
　正答率の高かったものから順に、A〜Eの5段階で表示。
A：正答率80％以上　　　　B：正答率60％以上80％未満　　　C：正答率40％以上60％未満
D：正答率20％以上40％未満　　E：正答率20％未満

解答・配点は一般社団法人日本中小企業診断士協会連合会の発表に基づくものです。

令和 **4** 年度 解説

第1問

日本の所得格差に関する問題である。ジニ係数は0から1の間をとり、係数が1に近づくほど所得格差が拡大していることを示す指標である。

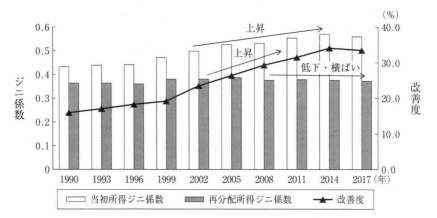

出所：厚生労働省『令和2年度版厚生労働白書』

※解説の便宜上、一部加筆・修正。

a ○：正しい。グラフから1990年代に比べて、2000年代以降には「当初所得ジニ係数」が上昇していることが読み取れる。よって、所得分配前の所得格差が拡大していることがわかる。

b ○：正しい。グラフから2010年代は、それ以前に比べて、「改善度」が上昇していることが読み取れる。よって、所得再分配政策による所得格差の改善度が大きいことがわかる。

c ×：グラフから2010年代は、「再分配所得ジニ係数」が低下または横ばいとなっていることが読み取れる。よって、**所得格差が拡大していないことがわかる。**

よって、**a**=「正」、**b**=「正」、**c**=「誤」となり、**ア**が正解である。

第2問

2015年度から2020年度における日本の実質GDP成長率と各需要項目の前年度比寄与度に関する問題である。

121

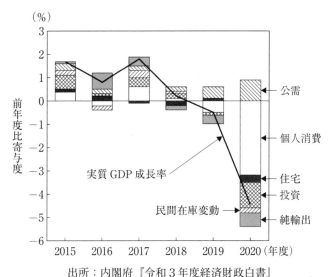

（%）

出所：内閣府『令和3年度経済財政白書』

※解説の便宜上、一部加筆・修正。

　日本の実質GDPは新型コロナウイルス感染症拡大の影響により、2020年度には前年度比−4.5％となっている。2020年度は**大規模な財政出動を行ったため、公需（＝a）の前年度比寄与度は増加している**。しかし、**個人消費（＝b）や投資（＝c）は大きく減少した**。特に個人消費の減少幅は大きい。

　よって、**a**には公需、**b**には個人消費、**c**には設備投資が該当するため、**ア**が正解である。

第3問

　国民経済計算に関する問題である。

ア　✗：乳牛や果樹のような動植物は固定資産や在庫とされる。そして、総固定資本、在庫変動の形で**GDPの計算に参入される**。

イ　✗：国民経済計算における国民の概念は、当該国の居住者主体を対象とする概念であり、GDPの計算上は**国籍を問わない**。

ウ　✗：国民経済計算における土地の価値からは、そこに所在する建物、動物、樹木などは除外される。よって、**山林の土地の価値は、民有林の立木の評価額は含まない**。

エ　✗：消費者としての家計が**自動車を購入しても耐久消費財の最終消費支出であり、総固定資本形成とはならない**。なお、総固定資本の対象となる固定資産は住宅、構

築物、機械・設備、育成生物資源などである。

オ　〇：正しい。GDPに参入されるのは、基本的に新たに生み出された付加価値であって市場で取引される財・サービスである。しかし、持ち家の帰属家賃や農家の自家消費などは、実際に取引が行われなくても、あたかも取引が行われたように記録したほうが、国民経済の姿を正確にとらえるという目的にかなうため、家計最終消費支出としてGDPに参入される。

よって、**オ**が正解である。

第4問

絶対所得仮説に関する問題である。絶対所得仮説とは、今期の消費は今期の所得水準に依存すると考えるものである。

ア　〇：正しい。臨時の特別手当の支給により外食の回数を増やすことは、今期の所得水準が上昇すると消費を増やすと考えられるため、絶対所得仮説を表す記述であると考えられる。

イ　✕：将来の年金が不安なので、節約して消費を抑制することにしたことは、**ライフサイクル仮説**を表す記述であると考えられる。ライフサイクル仮説は、今期の消費は今期の所得ではなく、一生のあいだに得ることのできる所得（生涯所得）に依存して決まるという考え方である。この考え方によれば、若年時の消費額は、老年時の所得もふまえた生涯所得で決定される。

ウ　✕：職場の同僚が旅行に行くことに影響を受けて、自分も旅行に行くことにしたことは、**空間的相対所得仮説**を表す記述であると考えられる。空間的相対所得仮説とは、ある家計の消費はその家計と同じ社会的な階層に属する別の家計の消費に依存するという考え方である。

エ　✕：新型コロナウイルスの影響で今年の所得は減りそうだが、これまでの消費習慣を変更することは困難なので、これまでどおりの消費を続けることにしたことは、**時間的相対所得仮説**を表す記述であると考えられる。時間的相対所得仮説とは、各時点の消費が現在の所得だけでなく過去の消費にも依存するという考え方である。

オ　✕：絶対所得仮説によれば、今期の所得水準が上昇すると消費を増やすと考えるため、**賃上げによって今期の所得水準が上昇すると、今期の消費は増えることになる**。

よって、**ア**が正解である。

乗数理論に関する問題である。

$Y = C + I + G$ に $C = 10 + 0.8Y$ を代入して、政府支出乗数を求める。

$Y = 10 + 0.8Y + I + G$

$0.2Y = 10 + I + G$

$Y = \dfrac{1}{0.2}(10 + I + G)$

$Y = 5(10 + I + G)$

また、$Y = C + I + G$ に $C = 10 + 0.75Y$ を代入して、政府支出乗数を求める。

$Y = 10 + 0.75Y + I + G$

$0.25Y = 10 + I + G$

$Y = \dfrac{1}{0.25}(10 + I + G)$

$Y = 4(10 + I + G)$

以上より、政府支出乗数は5から4へと低下することがわかる。

よって、**エ**が正解である。

45度線分析に関する問題である。

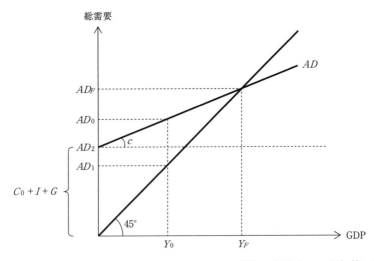

※解説の便宜上、一部加筆・修正。

設問1 ● ● ●

総需要線と乗数に関する問題である。

$AD = C + I + G$に$C = C_0 + cY$を代入して、総需要線の傾きと切片を求める。

$AD = C_0 + cY + I + G$

$AD = cY + C_0 + I + G$ …①

①より、総需要線ADの傾きはc、切片は$C_0 + I + G$であることがわかる。

また、$AD = Y$を代入して、投資乗数と政府支出乗数を求める。

$Y = cY + C_0 + I + G$

$Y - cY = C_0 + I + G$

$(1 - c)\ Y = C_0 + I + G$

$Y = \dfrac{1}{1 - c}\ (C_0 + I + G)$ …②

②より、投資乗数と政府支出乗数はともに$\dfrac{1}{1 - c}$である。

a 〇：正しい。

b ✕：投資乗数と政府支出乗数は同じ大きさであるため、投資支出1単位の増加によるGDPの増加は、政府支出1単位の増加によるGDPの増加と同じとなる。

c ✕：総需要線ADの縦軸の切片の大きさは、$C_0 + I + G$である。

よって、**a** =「正」、**b** =「誤」、**c** =「誤」となり、**ウ**が正解である。

設問2 ● ● ●

デフレ・ギャップに関する問題である。デフレ・ギャップとは完全雇用国民所得水準下における総供給と総需要の差（総供給＞総需要）のことである。

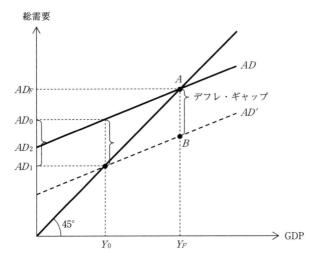

総需要

AD

AD_F ——— A

デフレ・ギャップ

AD_0

AD'

AD_2

AD_1 ——— B

45°

Y_0 Y_F GDP

※解説の便宜上、一部加筆・修正。

　現実のGDPはY_0であることから、図のようにAD'と45度線の交点がY_0である。このとき、完全雇用国民所得水準における総需要はBY_F、総供給はAY_Fであり、その差であるABのデフレ・ギャップが発生している。AD'を上方にシフトさせ、ADにすることで完全雇用国民所得を実現できるが、切片が$C_0 + I + G$であるため、ABの分だけ政府支出を増加させることで、AD'とすることができる。そして、ABと等しい長さは$AD_0 - AD_1$である。

　よって、**エ**が正解である。

第7問

設問1 ●●●

　古典派モデルにおける総需要曲線ADと総供給曲線ASに関する問題である。古典派は貨幣の取引需要（取引に伴う支払い手段としての需要）のみを想定する。

● 古典派モデルにおける総需要曲線AD

　ケインズ派では、貨幣需要は取引需要（取引に伴う支払い手段としての需要）と投機的需要（貨幣を資産として保有しようとする需要のことであり、利子率が低下すると投機的需要は増加する）を想定する。しかし、古典派では取引需要のみを想定するため、LM曲線は垂直に描かれる（利子率に依存しない）。物価水準の下落による実質貨幣供給量の増加はLM曲線を右方にシフトさせ、GDPを増

加させる。これより、総需要曲線は右下がりに描かれる。

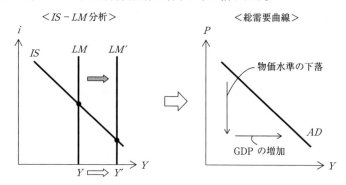

<IS－LM分析> <総需要曲線>

●古典派モデルにおける総供給曲線*AS*

　　古典派では、賃金の下方硬直性（名目賃金率は低下しにくいという性質）を想定しない。物価水準が下落すると、名目賃金率が下落し、実質賃金率は不変である。よって、雇用量は完全雇用水準で維持されたままであり、総供給は変化しない。

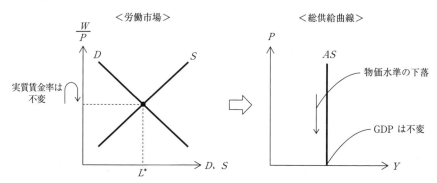

<労働市場> <総供給曲線>

ア　×：古典派では投機的需要を想定しないため、利子率の低下は貨幣需要に影響を与えない。

イ　×：古典派では、利子率が貨幣需要に影響を与えないことは正しい。しかし、**物価水準の下落は、実質貨幣供給量を増加させる。** そして、利子率の低下による実質投資支出の増加を通じて、総需要を増加させる。

ウ　×：選択肢**イ**を参照。

エ　×：物価水準が上昇すると名目賃金率も上昇し、実質賃金率は一定である。よって、雇用量が変化することはなく、生産量も完全雇用水準で維持されたままであり、

総供給も変化しない。

オ ○：正しい。

よって、**オ**が正解である。

設問2 ● ● ●

　AD-AS分析による均衡国民所得の決定（財政・金融政策の効果）に関する問題である。古典派モデルにおいて、拡張的な財政政策は総需要曲線を右方へシフトさせず、拡張的な金融政策は総需要曲線を右方へシフトさせる。次の図1は古典派モデルのIS-LM分析であるが、政府支出を増加させると完全なクラウディングアウトが生じる。よって、総需要曲線は右方へシフトしない。

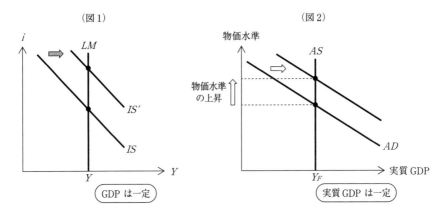

（図1）　　　　　　　　　　　　　　　（図2）

※解説の便宜上、一部加筆・修正。

ア ✕：先に述べたように、政府支出の増加（拡張的な財政政策）は**総需要を変化させない**。また、政府支出の増加では総供給曲線は右方へシフトしない。総供給曲線を右方へシフトさせるのは、技術革新や生産性の向上などである。よって、**政府支出の増加は、総需要、総供給ともに増加させない**。

イ ✕：先に述べたように、拡張的な財政政策は総需要曲線を右方へシフトさせない。よって、**物価水準、実質GDPは変化しない**。

ウ ○：正しい。先の図2にあるように、拡張的金融政策により総需要曲線が右方へシフトしても、物価水準が上昇するだけであり、実質GDPは増加しない。なお、古典派の金融政策の考え方として、貨幣数量説がある。貨幣数量説では貨幣市場の均衡条件を次の式で表す。

$$MV = PY$$

M：貨幣供給量、V：貨幣の流通速度、P：物価水準、Y：実質 GDP

MV：1 年間に使用された貨幣の総額、PY：名目 GDP

　貨幣供給量Mを増加させても実質GDPは増加せず、それと同率の物価が上昇するだけと考える。

エ　✕：名目貨幣供給の増加は、実質貨幣供給を一定に保つように物価を引き上げるが、**実質GDPは増加しない**。

　よって、**ウ**が正解である。

第8問

景気循環に関する問題である。

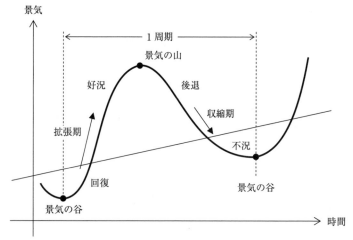

ア　✕：景気循環の1周期は、一般的に**景気の谷から次の景気の谷**までである。

イ　✕：景気循環の転換点の判定には**ヒストリカルDI**（ディフュージョン・インデックス）を用いている。ヒストリカルDIとは、個々の採用系列（先行系列・一致系列・遅行系列）ごとに山と谷を設定し、山から谷に至る期間は下降、谷から山に至る期間は上昇としてDIを作成したものである。

ウ　✕：景気循環の周期は長さによって、以下の4つに大別される。

名称	周期	発生要因
キチンの波	40か月前後	在庫投資の変動
ジュグラーの波	7～10年	設備投資の変動
クズネッツの波	15～25年	建設活動の変動
コンドラチェフの波	40～60年	技術進歩、資源・エネルギーの制約など

景気循環の最も短い周期は、**在庫投資の変動**が主な要因であると考えられている。

エ ○：正しい。景気の谷から山にかけての期間は、景気の拡張期（上昇期）であり、景気の山から谷にかけての期間は、景気の収縮期（下降期）である。

よって、**エ**が正解である。

第9問

金利平価説による為替レートの決定に関する問題である。金利平価説とは自国に投資した場合と他国に投資した場合に、平均的に同じ利回りが得られるように（地域間での債券の収益率の格差が解消するように）為替レートが決定されるという考え方である。

金利平価説では、次の式が成り立つように為替レートが変動すると考える。

$$P_J = P_a + \frac{e_{t+1} - e_t}{e_t}$$

P_J：自国の金利、P_a：他国の金利、e_{t+1}：予想（期待）為替レート、

e_t：現在の為替レート

※e_{t+1}、e_tは値が低下すれば円高（例：1ドル100円→1ドル80円）、値が上昇すれば円安（例：1ドル100円→120円）である。

●将来の為替レートが円高予想

先の式のe_{t+1}が低下すると、P_aおよびP_Jを一定とすれば（P_a、P_Jが変化すると為替レートの変化がなくなる）、$\frac{e_{t+1} - e_t}{e_t}$が一定でなければならないため、$e_t$が低下する。よって、将来の為替レートが円高予想であるとき、現在の為替レートは円高になる。

●日本の利子率（自国の金利）の低下

先の式のP_Jが低下する。P_aを一定とすれば（P_aが低下してしまうと為替レートの変化がなくなる）$\frac{e_{t+1} - e_t}{e_t}$が低下する。$\frac{e_{t+1} - e_t}{e_t}$を低下させるためには$e_t$が上昇しなければならない。よって、日本の利子率が低下するとき、現在の為替レートは円安になる。

a ○：上記より正しい。

b ✕：**a**の逆で、将来の為替レートが円安に進むと予想するとき、**現在の為替レー**

トも円安に変化する。

c ○：上記より正しい。

d ✕：日本の利子率が低下すると、円の価値が下落し、為替レートは円安に変化する。

よって、**a** と **c** の組み合わせが正しく、**ア**が正解である。

第10問

　自然失業率仮説に関する問題である。自然失業率仮説とは、古典派の流れを汲むマネタリストが提唱した説で、物価上昇率にかかわらず長期的には失業率が自然失業率で一定となるという説である。次の図1は短期的な物価上昇率と失業の関係、図2は長期的な物価上昇率と失業の関係を表したグラフ（物価版フィリップス曲線）である。

　労働者は名目賃金率（W）の上昇には敏感であるが、物価の上昇（P）はすぐに認知しないと仮定する。短期的には、物価（P）が上昇すると名目賃金率（W）が上昇するが、仮定より労働者は名目賃金率のみが上昇したと錯覚し、労働者が短期において認知している実質賃金率（$\frac{W}{P}$）が上昇したと錯覚する（貨幣錯覚）。これより、労働者は労働供給を増加させる。その結果、失業率は低下する。

　しかし、長期的には物価（P）の上昇と実質賃金率（$\frac{W}{P}$）が一定であることに気づく。すると、労働者は労働供給量を減少させ、もとの水準に戻る。結局物価にかかわらず、自然失業率で一定となる。

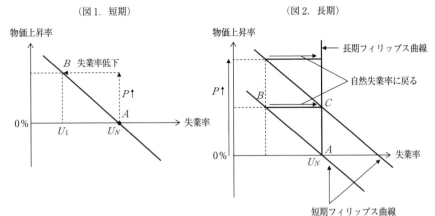

（図1. 短期）　　　　　　　　　　　　　　（図2. 長期）

a ○：正しい。自然失業率仮説では「期待で調整されたフィリップス曲線」を想定する。人々が物価上昇を期待（予想）すると、実質賃金の低下を避けるために、名

131

目賃金率の引き上げを要求する。この要求を受けた企業は価格を引き上げようとするため、実際の物価水準も上昇すると考える。

よって、「期待で調整されたフィリップス曲線」は名目のフィリップス曲線を期待インフレ率の分だけ上方にシフトさせる。

現実のインフレ率（次右図のBO）と期待インフレ率（次右図のAU_N）が等しいときの失業率はU_Nとなり、自然失業率と一致する。

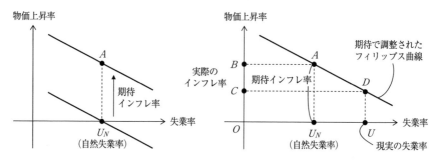

b **✕**：**a**の図にあるように、現実の失業率（**a**の右図のU）が自然失業率（**a**の右図のU_N）よりも高いとき、**現実のインフレ率（OC）は期待インフレ率（AU_N）よりも低くなる。**

c **✕**：自然失業率仮説によると、短期的には失業とインフレ率の間にトレード・オフの関係（インフレ率が上昇すれば失業率が減少する）が存在する。

d **○**：正しい。自然失業率仮説によると、長期的にはインフレ率がいかなる水準であっても自然失業率が維持される。

よって、**a**と**d**の組み合わせが正しく、**イ**が正解である。

需要曲線および消費者余剰に関する問題である。

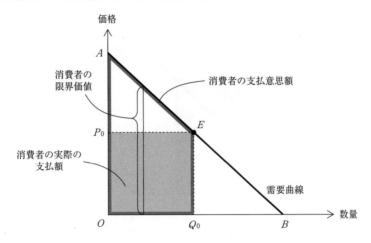

※解説の便宜上、一部加筆・修正。

a 〇：正しい。消費者の限界価値は需要曲線上の点から横軸までの距離で示される。需要曲線が右下がりであるため、価格が下落すると、消費者の限界価値は低下することがわかる。

b ✗：価格がP_0のときの需要量はQ_0である。よって、消費者の支払意思額は**四角形**$OAEQ_0$で示される。

c 〇：正しい。価格がP_0のときの需要量はQ_0である。よって、消費者の実際の支払額は$P_0O \times OQ_0 =$四角形OP_0EQ_0で示される。

よって、**a** =「正」、**b** =「誤」、**c** =「正」となり、**イ**が正解である。

供給曲線および生産者余剰に関する問題である。

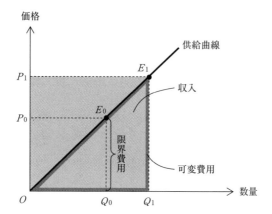

※解説の便宜上、一部加筆・修正。

a 〇：正しい。限界費用は供給曲線上の点から横軸までの距離で示される。供給曲
線が右上がりであるため、生産量が拡大すると、限界費用は増加することがわかる。

b 〇：正しい。生産者が必要最低限回収しなければならない費用の合計は可変費用
である。可変費用は限界費用の合計であり、供給曲線の下側の部分である。よって、
価格がP_0のときの可変費用は三角形OE_0Q_0である。

c ✕：生産者余剰は「収入－可変費用」で求められる。価格がP_1のときの供給量は
Q_1であるから、収入は四角形$OP_1E_1Q_1$、可変費用は三角形OE_1Q_1であり、**生産者余
剰は「四角形$OP_1E_1Q_1$－三角形OE_1Q_1＝三角形OP_1E_1」**である。

よって、**a**＝「正」、**b**＝「正」、**c**＝「誤」となり、**イ**が正解である。

　代替財、補完財と需要曲線のシフトに関する問題である。代替財とはある財の価格上昇に対して、もう一方の財の需要量が増加する2つの財のことである。また、補完財とはある財の価格上昇に対して、もう一方の財の需要量が減少する2つの財のことである。

　また、需要曲線は価格が一定で需要量が減少すれば左方にシフトし、需要量が増加すれば右方にシフトする。

《需要曲線が左方へシフト》　　　　　　　《需要曲線が右方へシフト》

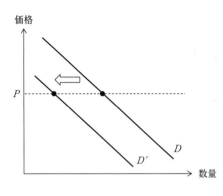 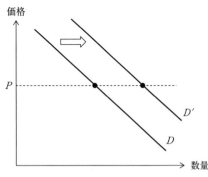

a　**✕**：A財とB財が代替財の関係にあるとき、A財の価格の下落によって、B財の需要量は減少する。よって、B財の需要曲線は**左方**にシフトする。

b　**〇**：正しい。C財とD財が補完財の関係にあるとき、C財の価格の下落によって、D財の需要量は増加する。よって、D財の需要曲線は右方にシフトする。

c　**〇**：正しい。A財とB財が代替財の関係にあるとき、A財の価格の上昇によって、B財の需要量は増加する。よって、B財の需要曲線は右方にシフトする。

d　**✕**：C財とD財が補完財の関係にあるとき、C財の価格の上昇によって、D財の需要量は減少する。よって、D財の需要曲線は**左方**にシフトする。

　よって、**b**と**c**の組み合わせである**ウ**が正解である。

需要の価格弾力性に関する問題である。需要の価格弾力性とは価格が1%変化したときに需要量が何%変化するかを表すものである。

$$需要の価格弾力性（\varepsilon）= -\frac{需要の変化率}{価格の変化率} = -\frac{\frac{\Delta D}{D}}{\frac{\Delta P}{P}}$$

$$= -\frac{\Delta D}{\Delta P} \times \frac{P}{D}（需要曲線の傾きの逆数 \times \frac{価格}{需要量}）$$

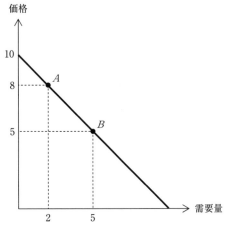

※解説の便宜上、一部加筆・修正。

本問の需要曲線の傾きは点A（2,8）、点B（5,5）を通る直線であるため、

$$\frac{5-8}{5-2} = -1$$

点Aにおける需要の価格弾力性 $= -(-1) \times \dfrac{8}{2} = \mathbf{4}$

点Bにおける需要の価格弾力性 $= -(-1) \times \dfrac{5}{5} = \mathbf{1}$

よって、**ウ**が正解である。

なお、傾きは問題文の式を以下のように変形することでも求めることができる。

$$Q = -P + 10$$
$$P = -Q + 10 \qquad \therefore 傾きは-1$$

（別解）

　右下がりの直線である同一需要曲線上における複数の点を比較すると、より左上に位置する点のほうが需要の価格弾力性が大きくなる。本問において、点Aの需要の弾力性は点Bの需要の弾力性よりも大きい。これを満たす選択肢は**ウ**のみである。

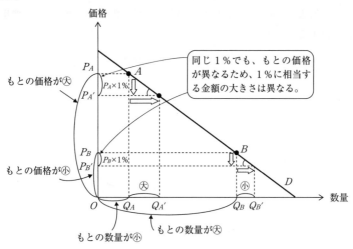

第15問

総収入曲線と総費用曲線に関する問題である。

設問1 ●●●

費用関数に関する問題である。

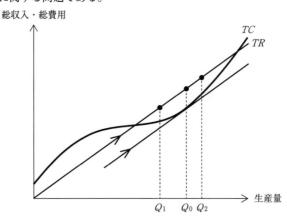

a 〇：正しい。総費用は可変費用と固定費用の和である。生産量がゼロのとき、可変費用は発生しないため、総費用と固定費用が一致する。

b 〇：正しい。限界費用は総費用曲線への接線の傾きの大きさであり、平均費用は原点と総費用曲線上の点を結んだ直線の傾きの大きさである。そして、原点を通る直線と総費用曲線との接点において平均費用は最小化し、このとき平均費用と限界費用は一致する。

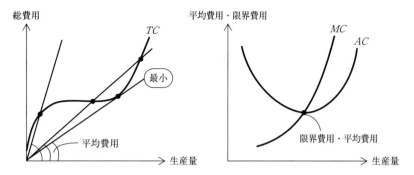

c ✕：**b**にあるように、平均費用は生産量がゼロから最小になる点まで減少するが、その後増加していく。

よって、**a**＝「正」、**b**＝「正」、**c**＝「誤」となり、**イ**が正解である。

設問2 ●●●

完全競争企業の利潤に関する問題である。完全競争企業は「価格＝限界費用」となるように生産量を決める（利潤最大化条件）。

a 〇：正しい。総収入曲線の傾きは価格を、総費用曲線の接線の傾きは限界費用を表している。下図のように、総収入曲線の傾きは、総費用曲線の接線の傾きより大きく、価格（生産量を1単位増加させたときに追加的に得られる収入）が限界費用（生産量を1単位増加させたときに追加的に発生する費用）を上回っているため、生産を増やせば利潤が増加する。

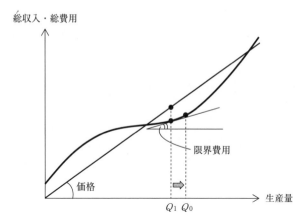

b **○**：正しい。総収入曲線の傾きは価格を、総費用曲線の接線の傾きは限界費用を表している。総収入曲線の傾きと、総費用曲線の接線の傾きが等しいということは「価格＝限界費用」の状態であり、利潤最大化条件を満たしている。

c **○**：正しい。総収入曲線の傾きは価格を、総費用曲線の接線の傾きは限界費用を表している。下図のように、総収入曲線の傾きは、総費用曲線の接線の傾きより小さく、限界費用が価格を上回っているため、生産を減らせば利潤は増加する。

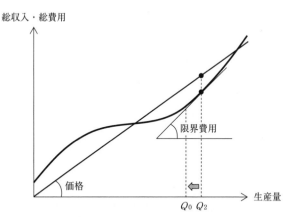

よって、**a**＝「正」、**b**＝「正」、**c**＝「正」となり、**ア**が正解である。

等費用線および等産出量曲線に関する問題である。

等費用線に関する問題である。等費用線に関する性質は以下のようになっている。

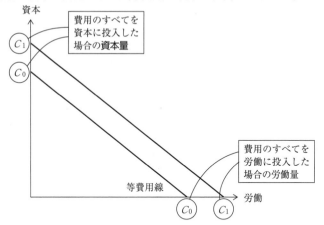

a ✕：賃金が下落すると、同じ費用であっても多くの労働量を投入できるため、等費用線の傾きは**緩やか**に描かれる。

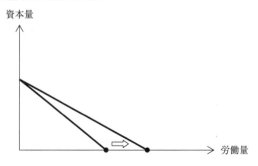

b 〇：正しい。等費用線は総費用が増加すると右方へシフトする。

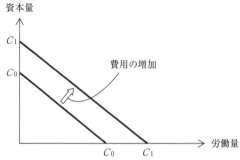

c ✕：縦軸の切片の値は、資本のみを投入する場合の**資本量**を表している。

よって、**a** =「誤」、**b** =「正」、**c** =「誤」となり、**オ**が正解である。

等費用線および等産出量曲線に関する問題である。

● 等産出量曲線（等量曲線）：生産量が等しくなる資本投入量と労働投入量の組み
　　　　　　　　　　　　　　　合わせを結んだものであり、原点に凸の曲線となる。
● 等費用線　　　　　　　　　：費用が等しくなる資本投入量と労働投入量の組み合
　　　　　　　　　　　　　　　わせを結んだものであり、右下がりの直線となる。

　縦軸に資本投入量、横軸に労働投入量をとったグラフに、等産出量曲線と等費
用線を描き、費用最小化となる資本投入量と労働投入量を見るものが等量曲線 −
等費用線モデルである。

　同一の等産出量曲線（等量曲線）上の点はどこをとっても生産量は等しくなり、
より右上に位置する等産出量曲線（等量曲線）のほうが生産量は多くなる。等費
用線は、より左下（原点に近い）に位置するもののほうが費用は小さくなる。し
たがって、等産出量曲線（等量曲線）を一定としたとき、費用最小となる資本投
入量と労働投入量の組み合わせは、等産出量曲線（等量曲線）と等費用線がちょ
うど接する接点に対応する水準ということとなる。

<2 財モデルと等費用線と等産出量曲線を使ったモデルにおける各要素の対応関係>

2 財モデル	等費用線と等産出量曲線を使ったモデル
無差別曲線	等産出量曲線（等量曲線）
無差別曲線への接線の傾き ＝限界代替率 （x 財を 1 単位減少させたとき、効用を維持するために必要な y の増加量）	等産出量曲線（等量曲線）への接線の傾き ＝技術的限界代替率 （労働投入量が 1 単位増加したとき、生産量を維持する前提で減らせる資本投入量）
予算制約線	等費用線
予算制約線の傾き ＝両財の価格比（$-\dfrac{P_x}{P_y}$）	等費用線の傾き ＝要素価格比率（$-\dfrac{労働の要素価格（賃金率）}{資本の要素価格}$）
最適消費点	費用最小化点
効用最大化の条件 無差別曲線への接線の傾き＝予算制約線の傾き →無差別曲線と予算制約線の接点	費用最小化の条件 等産出量曲線への接線の傾き＝等費用線の傾き →等産出量曲線と等費用線の接点

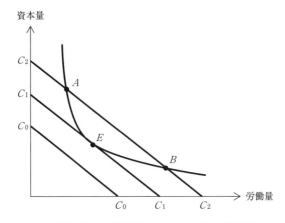

a **○**：正しい。点 E は図の等産出量曲線において、最も総費用が少ない点（費用最小化点という）である。点 E は点 A よりも労働量が多く、資本量が少ない状態である。

b **✕**：技術的限界代替率は等産出量曲線への接線の傾きの大きさであり、要素価格比率は等費用線の傾きの大きさである。点 B では等産出量曲線への接線の傾きの大きさは、等費用線の傾きの大きさより小さいため、**技術的限界代替率が要素価格比率より小さい**。

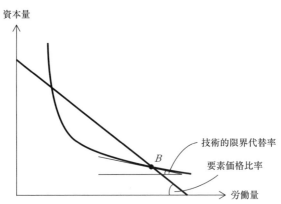

c **○**：正しい。**c** の文章を補うと、点 E では、要素価格 1 単位当たりの資本の限界生産物と労働の限界生産物が均等化する。

よって、**a** =「正」、**b** =「誤」、**c** =「正」となり、**イ**が正解である。

【参考】

資本の変化分を $\varDelta K$、労働の変化分を $\varDelta L$、資本の限界生産物を MP_K、労働の限界生産物を MP_L、資本の要素価格（レンタル価格）を R、労働の要素価格（賃金率）を W とする。

技術的代替率 $= -\dfrac{\varDelta K}{\varDelta L}$（接線の傾き）…①

また、資本の変化による資本による産出量の変化は$\varDelta K \times MP_K$、労働の変化による労働による産出量の変化は$\varDelta L \times MP_L$である。同一の等産出量曲線であれば、資本や労働の変化があっても同一の産出量となるため、

$\varDelta K \times MP_K = \varDelta L \times MP_L$ …②

$\dfrac{\varDelta K}{\varDelta L} = \dfrac{MP_L}{MP_K}$（両辺に$\varDelta L \times MP_K$で除す）

さらに、要素価格比率は等費用線の傾き $= -\dfrac{W}{R}$ …③

点Eでは、要素価格比率＝技術的代替率であるから、①＝②＝③が成り立つ。

よって、$\dfrac{MP_L}{MP_K} = \dfrac{W}{R}$

両辺に$\dfrac{MP_K}{W}$を乗じて、$\dfrac{MP_L}{W} = \dfrac{MP_K}{R}$

これより、要素価格1単位当たりの資本の限界生産物と労働の限界生産物が均等化することがわかる。

第17問

完全競争と不完全競争における市場の特徴に関する問題である。完全競争市場と不完全競争市場（独占市場・寡占市場・独占的競争市場）をまとめた表が以下のものである。

	完全競争市場	独占	寡占	独占的競争
売り手、買い手ともに多数存在	○	× （1社）	× （少数）	○
財の同質性	○	－ （1社しかない）	○× （ある場合とない場合がある）	× （ある程度の差別化）
財に関する情報の完全性	○	○	○	○
市場への参入・退出の自由	○	×	×	○

a **×**：完全競争市場の売り手は多数であることは正しい。しかし、**独占的競争市場においても売り手は多数存在する**。

b **○**：正しい。プライス・テイカーとは自らの市場価格に影響を与えず、市場で決まる価格を受け入れるしかない経済主体のことをいう。そして、すべての参加者がプライス・テイカーである市場を完全競争市場という。また、プライス・メイカー

とは価格支配力をもつ主体のことであり、プライス・メイカーがいる市場のことを不完全競争市場という。

c　**×**：完全競争市場の売り手が同質財のみを生産することは正しい。しかし、たとえば、不完全競争市場における売り手である**独占的競争企業は差別化された財を生産する。**

よって、**a** ＝「誤」、**b** ＝「正」、**c** ＝「誤」となり、**エ**が正解である。

比較優位と機会費用に関する問題である。絶対優位、比較優位を把握しやすくするために、おにぎりとサンドイッチそれぞれを1個作る時間に表を書きかえる。

	おにぎり	サンドイッチ
Aさん	10個/30分	6個/30分
Bさん	6個/30分	2個/30分

	おにぎり	サンドイッチ
Aさん	3分	5分
Bさん	5分	15分

	おにぎり	サンドイッチ
Aさん	3分	5分
Bさん	5分	15分

	おにぎり	サンドイッチ
Aさん	1	$\frac{5}{3}$
Bさん	1	3

a　**○**：正しい。機会費用とはほかの選択を行うことで得られなくなる利益である。Aさんにとって、おにぎりを1個作ることで3分の時間がかかる。この3分をサンドイッチの生産にあてれば、サンドイッチは$\frac{3}{5}$個作ることができる。つまり、おにぎりを1個作ることの機会費用は、サンドイッチ$\frac{3}{5}$個である。

b　**×**：Bさんにとって、おにぎりを1個作ることで5分の時間がかかる。この5分をサンドイッチの生産にあてれば、サンドイッチは$\frac{1}{3}$個作ることができる。つまり、おにぎりを1個作ることの機会費用は、サンドイッチ$\frac{1}{3}$個である。

c　**×**：おにぎり1個の生産にAさんは3分、Bさんは5分を要する。また、サンドイッチ1個の生産にAさんは5分、Bさんは15分を要する。おにぎりとサンドイッチを作ることの両方に絶対優位を持っているのは、**Aさん**である。

d　**○**：正しい。Aさんはサンドイッチの生産におにぎりの$\frac{5}{3}$倍の時間を要する。

また、Bさんはサンドイッチの生産におにぎりの3倍の時間を要する。よって、サンドイッチの生産はAさんに比較優位があり、おにぎりの生産にはBさんに比較優位がある。

よって、**a**と**d**の組み合わせが正しく、**イ**が正解である。

第19問

資本移動の自由化の効果に関する問題である。生産要素の最適投入の条件により、資本の限界生産物と資本のレンタル料が一致する水準に資本投入量を決定する。Ⅰ国の生産量（限界生産物の合計）は$O_ⅠAGC$であり、そのうち資本所有者は「レンタル料×資本量」である四角形$O_Ⅰr_ⅠGC$が、労働者には残りの三角形$r_ⅠAG$が分配される（図1）。同様にⅡ

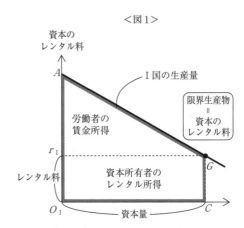

<図1>

国の生産量が$O_ⅡBFC$であり、そのうち資本所有者は四角形$O_Ⅱr_ⅡFC$、労働者には三角形$r_ⅡFB$が分配される（図2）。

次に、資本移動が自由化されたとする。資本移動の自由化により、レンタル料が安いⅠ国からレンタル料が高いⅡ国への資本移動が生じる（資本所有者はより高い収益を求めてレンタル料が高いⅡ国へ投資をする）。そして、資本のレンタル価格はⅠ国が$r^*_Ⅰ$、Ⅱ国が$r^*_Ⅱ$と均等化する。資本移動の結果、Ⅰ国の生産物の合計は四角形$O_ⅠAED$であり、そのうち資本所有者は四角形$O_Ⅰr^*_ⅠED$（$O_Ⅰr^*_Ⅰ×O_ⅠD$）、労働者は三角形$r^*_ⅠAE$が分配される。また、Ⅱ国の生産物の合計は四角形$O_ⅡBED$であり、そのうち資本所有者は四角形$O_Ⅱr^*_ⅡED$（$O_Ⅱr^*_Ⅱ×O_ⅡD$）、労働者は三角形$r^*_ⅡBE$が分配される（図3）。

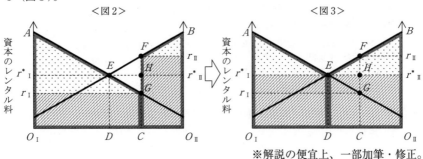

<図2>　<図3>

※解説の便宜上、一部加筆・修正。

a ◯：正しい。

b ✕：資本移動の結果、労働者の賃金所得は、Ⅰ国では三角形$r^*_ⅠAE$に減少し、Ⅱ国では三角形$r^*_ⅡBE$に増加する。

c ✕：資本移動の結果、資本所有者のレンタル所得は、Ⅰ国では四角形$O_Ⅰr^*_ⅠED$になり、Ⅱ国では$O_Ⅱr^*_ⅡED$となる。

d ◯：正しい。資本移動の自由化によって、資本移動前にどちらの国にも属していなかった三角形EFGの分だけ、世界全体の所得が増加する。

よって、**a**と**d**の組み合わせが正しく、**ウ**が正解である。

第20問

ゲーム理論に関する問題である。

		B 国	
		環境保護	経済成長
A 国	環境保護	(500 , 500)	(－500 , 1,000)
	経済成長	(1,000 , － 500)	(0 , 0)

※解説の便宜上、一部加筆・修正。

●A 国の意思決定

① B 国が「環境保護」を選択することを想定した場合
- ・「環境保護」を選択 →「500」の利得
- ・「経済成長」を選択 →「1,000」の利得

→A 国は、「経済成長」を選ぶ。 ◀ ─┐

② B 国が「経済成長」を選択することを想定した場合
- ・「環境保護」を選択 →「－500」の利得
- ・「経済成長」を選択 →「0」の利得

→A 国は、「経済成長」を選ぶ。 ◀ ─┘

A 国は、B 国の選択にかかわらず、「経済成長」を選ぶ。
→「経済成長」はA 国の支配戦略となる。

●B 国の意思決定

① A 国が「環境保護」を選択することを想定した場合
- ・「環境保護」を選択 →「500」の利得
- ・「経済成長」を選択 →「1,000」の利得

→B 国は、「経済成長」を選ぶ。 ◀ ─┐

② A 国が「経済成長」を選択することを想定した場合
- ・「環境保護」を選択 →「－500」の利得
- ・「経済成長」を選択 →「0」の利得

→B 国は、「経済成長」を選ぶ。 ◀ ─┘

B 国は、A 国の選択にかかわらず、「経済成長」を選ぶ。
→「経済成長」はB 国の支配戦略となる。

ア ◯：正しい。A国が「環境保護」を優先させる政策を選んだ場合、B国が「環境保護」を優先させる政策を選ぶと「500」の利得、「経済成長」を優先させる政策を選ぶと「1,000」の利得を得る。

イ ✕：両国が協調して「環境保護」を優先させる政策から、どちらかの国が利得をさらに高めるためには「経済成長」を選択することで、その国は「500」の利得から「1,000」の利得を得ることになる。つまり、両国が協調して「環境保護」を優先させる政策を選んだ場合、自国の利得をさらに高めるためには、**戦略を変える必要がある**。

ウ ✕：最適反応とは、プレイヤーが自らの利得を最大にするために最適な戦略をとることである。このゲームにおけるA国の最適反応は、B国が「環境保護」「経済成長」のどちらであっても、**「経済成長」を優先させる政策を選ぶ場合**である。

エ ✕：ナッシュ均衡とは、各プレイヤーが最適な戦略をとりあっている状態であり、本問ではともに「経済成長」を優先させる政策をとる組み合わせである。

よって、**ア**が正解である。

情報の非対称性がもたらす逆選択に関する問題である。逆選択は性質に関する情報の非対称性がある場合において契約前に発生する。また、モラルハザードは行動に関する情報の非対称性がある場合において契約後に発生する。

a ✕：自動車保険における免責事項（保険会社が責任を免れる事項）には、保険の契約後に生じる**モラルハザードを減らす効果**が期待できると考えられる。免責事項があることで、自動車保険に加入したドライバーが適切でない運転をすることを抑えることにつながる。

b 〇：正しい。任意保険では、病気になるリスクの高い人のみが加入するという逆選択が発生し、保険市場が成立しない場合が考えられる。しかし、強制保険とすることで、病気になるリスクの低い人も加入することになるため、逆選択を減らす効果が期待できる。

c 〇：正しい。推薦状により情報を持つ応募者から情報を持たない企業に情報を開示することで逆選択を減らす効果が期待できる。

よって、**a**＝「誤」、**b**＝「正」、**c**＝「正」となり、**ウ**が正解である。

令和 3 年度問題
uestions

第1問

　下図は、2019年1－3月期から2020年7－9月期における日本、アメリカ、中国、イギリスの実質国内総生産（前期比、四半期ベース、季節調整済）の推移を示している。

　図中のa～cに該当する国の組み合わせとして、最も適切なものを下記の解答群から選べ。

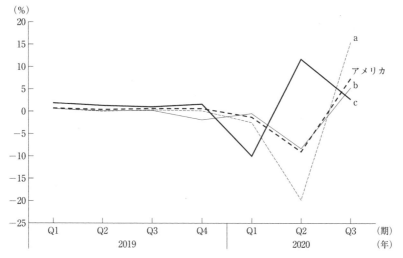

出所：独立行政法人労働政策研究・研修機構ホームページ

```
[解答群]
ア　a：イギリス　　b：中国　　　c：日本
イ　a：イギリス　　b：日本　　　c：中国
ウ　a：中国　　　　b：イギリス　c：日本
エ　a：中国　　　　b：日本　　　c：イギリス
オ　a：日本　　　　b：イギリス　c：中国
```

下図は、国債等の保有者別内訳である。

図中のa～cに該当する保有者の組み合わせとして、最も適切なものを下記の解答群から選べ。

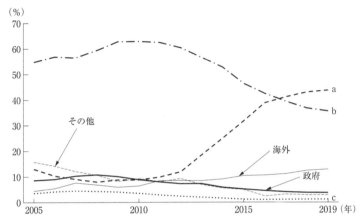

注：(1) 国債等は、「国庫短期証券」、「国債・財投債」の合計。また、国債等は、一般政府（中央政府）のほか、公的金融機関（財政融資資金）の発行分を含む。

(2) 各年とも12月末時点。

出所：日本銀行『資金循環統計』

[解答群]

ア　a：金融機関（中央銀行を除く）　　b：個人
　　c：中央銀行

イ　a：金融機関（中央銀行を除く）　　b：中央銀行
　　c：個人

ウ　a：個人　　　　　　　　　　　　　b：中央銀行
　　c：金融機関（中央銀行を除く）

エ　a：中央銀行　　　　　　　　　　　b：金融機関（中央銀行を除く）
　　c：個人

オ　a：中央銀行　　　　　　　　　　　b：個人
　　c：金融機関（中央銀行を除く）

国内総生産（GDP）に含まれるものとして、最も適切な組み合わせを下記の解答群から選べ。

a　家族総出の大掃除
b　家族で温泉旅行
c　子供への誕生日プレゼントの購入
d　孫へのお小遣い

［解答群］
ア　aとb　　イ　aとc　　ウ　bとc　　エ　bとd　　オ　cとd

コロナ禍で落ち込んだ経済を支えるための対策のひとつに、個人や世帯に対する一時金の給付がある。この一時金の経済効果に関する記述として、最も適切な組み合わせを下記の解答群から選べ。

a　恒常所得仮説によれば、今期の消費は今期の所得によって決定される。従って、緊急事態宣言の発出によって飲食店の営業を停止しても、一時金の給付によって巣ごもり消費が喚起され、経済全体の消費は増加すると考えられる。
b　絶対所得仮説によれば、生涯の所得が生涯の消費を決定する。従って、一時金の給付が将来の増税を予想させるとしても、新しい生活様式への対応を通じて、経済全体の消費は増加すると考えられる。
c　低所得者ほど限界消費性向が高い傾向にあるとすれば、一時金の給付対象に所得制限を設けることは、より効果的に消費を支えると考えられる。
d　不要不急の財に関する需要の所得弾力性が高い傾向にあるとすれば、一時金の給付が消費を増やす効果は、不要不急の消費ほど大きくなると考えられる。

［解答群］
ア　aとb　　イ　aとbとc　　ウ　bとc　　エ　bとcとd
オ　cとd

問題

3年度

生産物市場の均衡条件は、総需要＝総供給である。総需要ADと総供給ASが以下のように表されるとき、下記の設問に答えよ。

$$AD = C + I + G$$
$$C = C_0 + c\,(Y - T)$$
$$AS = Y$$

ここで、Cは消費、Iは投資、Gは政府支出、C_0は基礎消費、cは限界消費性向（$0 < c < 1$）、Yは所得、Tは租税である。

設問1 ●●●

乗数に関する記述として、最も適切な組み合わせを下記の解答群から選べ。

a 均衡予算乗数は、$\dfrac{1}{1-c}$である。

b 政府支出乗数は、$\dfrac{1}{1-c}$である。

c 租税乗数は、$\dfrac{1}{1-c}$である。

d 投資乗数は、$\dfrac{1}{1-c}$である。

［解答群］
ア aとb　イ aとc　ウ bとc　エ bとd　オ cとd

設問2 ●●●

景気の落ち込みを回避するための財政政策の効果に関する記述として、最も適切な組み合わせを下記の解答群から選べ。

a 政府支出の増加額と減税額が同じ規模のとき、景気拡大の効果は政府支出の増加の方が大きい。

b 政府支出の増加額と減税額が同じ規模のとき、両者の景気拡大の効果は等しい。

c 政府支出の増加に必要な財源を増税によってまかなったとしても、政府支出の

増加による総需要の拡大効果は増税による総需要の減少分を上回るので、増加さ
せた政府支出の分だけ景気拡大の効果がある。

d 政府支出の増加に必要な財源を増税によってまかなうと、政府支出の増加によ
る総需要の拡大効果は増税による総需要の減少によって相殺されてしまい、景気
拡大の効果はなくなってしまう。

[解答群]
ア aとc　　イ aとd　　ウ bとc　　エ bとd

第6問　　★重要★

下図は、*IS*曲線と*LM*曲線を描いている。この図に基づいて、下記の設問に
答えよ。

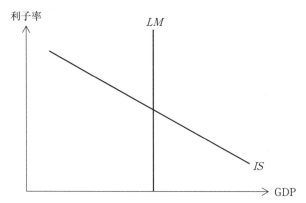

設問1 ● ● ●

*LM*曲線が垂直になる例として、最も適切なものはどれか。

ア　貨幣需要の利子弾力性がゼロである。

イ　貨幣需要の利子弾力性が無限大である。

ウ　投資需要の利子弾力性がゼロである。

エ　投資需要の利子弾力性が無限大である。

　*LM*曲線が垂直であるときの財政政策と金融政策の効果に関する記述として、最も適切な組み合わせを下記の解答群から選べ。なお、ここでは物価水準が一定の短期的な効果を考えるものとする。

a　政府支出を増加させると、完全なクラウディング・アウトが発生する。

b　政府支出を増加させると、利子率の上昇を通じた投資支出の減少が生じるが、GDPは増加する。

c　貨幣供給を増加させると、利子率の低下を通じた投資支出の増加が生じるが、GDPは不変である。

d　貨幣供給を増加させると、利子率の低下を通じた投資支出の増加によって、GDPは増加する。

[解答群]

ア　aとc　　イ　aとd　　ウ　bとc　　エ　bとd

第7問　　★重要★

　貨幣乗数に関する記述として、最も適切な組み合わせを下記の解答群から選べ。

a　マネー・ストックが1単位増えると、マネタリー・ベースはその貨幣乗数倍だけ増加する。

b　金融機関の準備率が高くなると、貨幣乗数は小さくなる。

c　現金よりも預金で通貨を保有する傾向が高まると、貨幣乗数は小さくなり、マネタリー・ベースの増加に伴うマネー・ストックの増加の程度も小さくなる。

d　中央銀行は、マネタリー・ベースのコントロールを通じて、マネー・ストックを調整する。

[解答群]

ア　aとb　　イ　aとc　　ウ　bとc　　エ　bとd　　オ　cとd

　金融政策に関する記述の正誤の組み合わせとして、最も適切なものを下記の解答群から選べ。

a　投資の利子感応度が大きいほど、貨幣供給量の増加がGDPを増加させる効果は、大きくなる。

b　貨幣数量説の考え方によると、貨幣供給量の増加は、物価水準を上昇させるとともに、実質GDPを比例的に増加させる。

c　ケインズ的な金融政策の考え方によれば、貨幣供給量は経済成長率に合わせた一定率（k %）で増加させることが望ましい。

d　流動性のわなが生じているときの貨幣供給量の増加は、更なる利子率の低下がないために投資のクラウディング・アウトを伴うことなく、GDPを増加させる。

```
[解答群]
ア　a：正　　b：正　　c：正　　d：正
イ　a：正　　b：正　　c：正　　d：誤
ウ　a：正　　b：誤　　c：誤　　d：正
エ　a：正　　b：誤　　c：誤　　d：誤
オ　a：誤　　b：誤　　c：誤　　d：正
```

第9問

　生産物市場における輸出入の変化がGDPや貿易収支に与える影響に関する記述として、最も適切なものはどれか。

ア　輸出と輸入が同規模で増加するとき、外国貿易乗数は1になる。

イ　輸出の増加は、輸出の増加分に外国貿易乗数を乗じた大きさだけ貿易収支を改善させる。

ウ　輸入の増加は、輸入の増加分に外国貿易乗数を乗じた大きさだけ自国のGDPを減少させる。

エ　輸入の増加は、輸入の増加分に外国貿易乗数を乗じた大きさだけ貿易収支を悪化させる。

問題

3年度

完全資本移動の場合のマンデル=フレミング・モデルについて考える。下図において、IS曲線は生産物市場の均衡、LM曲線は貨幣市場の均衡、BP曲線は国際収支の均衡を表す。この経済は小国であるとする。変動相場制のケースでの経済政策に関する記述として、最も適切な組み合わせを下記の解答群から選べ。

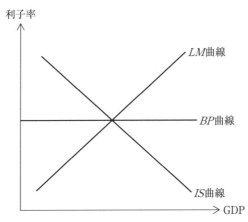

a　金融緩和政策は、資本が海外から自国に流入することにより、自国通貨高を生じさせる。

b　財政拡大政策は、資本が海外から自国に流入することにより、自国通貨高を生じさせる。

c　金融緩和政策は、輸出を増加させることを通じて、自国のGDPを増加させる効果を持つ。

d　財政拡大政策は、輸出を増加させることを通じて、自国のGDPを増加させる効果を持つ。

[解答群]
ア　aとc　　イ　aとd　　ウ　bとc　　エ　bとd

雇用・失業の用語に関する記述として、最も適切なものはどれか。

ア　アルバイトで生計を維持する大学生は、労働力人口に含まれる。

イ　非労働力人口は、専業主婦（夫）を含まない。
ウ　有効求人倍率が1を超えるとき、完全失業率はゼロである。
エ　有効求人倍率は、新規求人数を月間有効職者数で除した値である。
オ　労働力人口は、未成年を含まない。

第12問

　全要素生産性（TFP）に関する記述として、最も適切な組み合わせを下記の解答群から選べ。

a　新しい技術の開発は、全要素生産性を上昇させる要因のひとつである。
b　経済成長率＝（労働分配率×労働生産性の成長率）＋（資本分配率×資本投入の成長率）＋全要素生産性の成長率、である。
c　生産要素の投入量が一定であったとしても、全要素生産性が上昇すると、生産量は増加する。
d　全要素生産性は、生産量を労働投入量で除した値である。

　　［解答群］
　　ア　aとb　　イ　aとbとc　　ウ　aとc　　エ　aとcとd
　　オ　bとcとd

第13問　　　★重要★

　市場取引において、売り手の行動を表す曲線は「供給曲線」、買い手の行動を表す曲線は「需要曲線」と呼ばれている。下図に基づき、供給曲線と需要曲線のシフト要因と、均衡価格の変化に関する記述として、最も適切なものを下記の解答群から選べ。なお、点Eが初期の均衡を示している。

問題

3年度

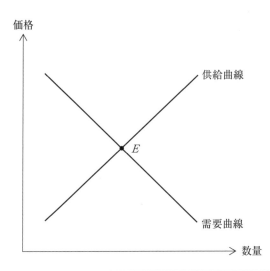

価格

供給曲線

E

需要曲線

数量

［解答群］

ア　技術の進歩によって供給曲線が左方にシフトし、嗜好の変化によって需要
　　曲線が左方にシフトすると必ず均衡価格が上昇する。

イ　技術の進歩によって供給曲線が右方にシフトし、所得の増加によって需要
　　曲線が右方にシフトすると必ず均衡価格が上昇する。

ウ　原材料費の下落によって供給曲線が左方にシフトし、嗜好の変化によって
　　需要曲線が右方にシフトすると必ず均衡価格が上昇する。

エ　原材料費の上昇によって供給曲線が左方にシフトし、嗜好の変化によって
　　需要曲線が左方にシフトすると必ず均衡価格が下落する。

オ　原材料費の上昇によって供給曲線が左方にシフトし、所得の増加によって
　　需要曲線が右方にシフトすると必ず均衡価格が上昇する。

第14問　　★重要★

　　左図では供給曲線が垂直になっており、また、右図では需要曲線が垂直にな
っている。需要曲線がシフトする場合の売り手の収入の変化に関する記述の正
誤の組み合わせとして、最も適切なものを下記の解答群から選べ。

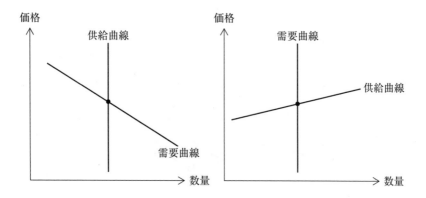

a 左図では、需要曲線が右方にシフトするとき、売り手の収入は減少する。

b 右図では、需要曲線が右方にシフトするとき、売り手の収入は増加する。

c 需要曲線が左方にシフトするとき、両方の図で、売り手の収入は減少する。

[解答群]

ア a：正　b：正　c：誤

イ a：正　b：誤　c：誤

ウ a：誤　b：正　c：正

エ a：誤　b：正　c：誤

オ a：誤　b：誤　c：正

第15問 ★重要★

下図のような形状をした無差別曲線に関する記述として、最も適切な組み合わせを下記の解答群から選べ。

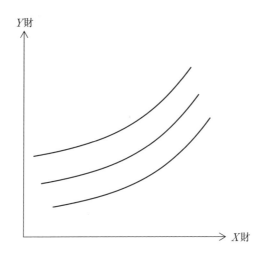

Y財

X財

a X財がおにぎり、Y財がサンドイッチのように、不完全であるが代替可能性のある2財の関係を示している。

b X財がお弁当、Y財が容器ゴミのように、通常の財と負の財の関係を示している。

c この無差別曲線上におけるX財とY財の組み合わせでは、得られる効用は一定である。

d この無差別曲線上を右に行くほど、X財を1単位増やすために減らさなければならないY財の量は増加する。

[解答群]
ア aとc　　イ aとcとd　　ウ bとc　　エ bとcとd
オ bとd

第16問　　★重要★

限られた所得を有する個人がおり、X財とY財を購入することができるとする。下図には、この限られた所得に基づいて予算制約線Aと予算制約線Bが描かれており、また、予算制約線Aと点Eで接する無差別曲線と、予算制約線Bと点Fで接する無差別曲線が描かれている。下図に関する記述として、最も適切な組み合わせを下記の解答群から選べ。

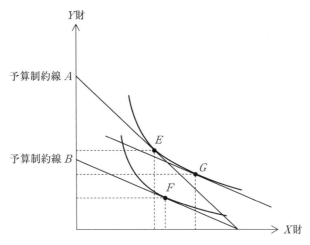

a 予算制約線Aから予算制約線Bへの変化は、X財の価格の上昇によるものである。

b 予算制約線Aから予算制約線Bへの変化は、Y財の価格の上昇によるものである。

c 点Eから点Fへの変化は、代替効果と呼ばれている。

d 点Eから点Gへの変化は、代替効果と呼ばれている。

[解答群]
ア aとc　イ aとd　ウ bとc　エ bとd

第17問

　大学生のAさんは、アルバイト先の時給が上がったことで、所得が増加した。その結果、お昼に学食に行く回数が減り、イタリアンレストランに行く回数が増えた。この状況に関する説明として、最も適切なものはどれか。

ア　Aさんにとって、学食とイタリアンレストランの消費は両方ともプラスであるので、ともに上級財である。

イ　Aさんにとって、学食とイタリアンレストランは補完財である。

ウ　Aさんにとって、学食の消費は減り、イタリアンレストランの消費は増えたので、学食は下級財であり、イタリアンレストランは上級財である。

エ　Aさんにとって、学食は必需品であり、イタリアンレストランは奢侈品である。

オ　Aさんにとって、学食もイタリアンレストランも必需品である。

生産に外部経済が伴う場合の市場均衡を考える。下図には、需要曲線D、私的限界費用曲線S_0、社会的限界費用曲線S_1が描かれている。市場均衡は点Fで与えられ、均衡価格はP_1、均衡取引量はQ_1である。また、社会的な最適点は点Eで与えられている。

このとき、社会的に最適な状態を実現するために政府が生産者に対して補助金を交付するとする。交付される補助金の大きさとして、最も適切なものを下記の解答群から選べ。

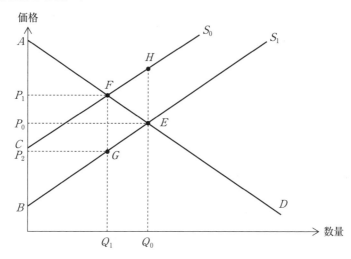

［解答群］

ア 四角形$CBEF$

イ 四角形$CBEH$

ウ 四角形$CBGF$

エ 四角形$FGEH$

オ 四角形P_1P_2GF

下図によって独占企業の利潤最大化を考える。Dは独占企業の市場需要曲線、MRは独占企業の限界収入曲線、MCは独占企業の限界費用曲線である。

この図に関する記述として、最も不適切なものを下記の解答群から選べ。

[解答群]

ア　a：正　　b：正　　c：正

イ　a：正　　b：正　　c：誤

ウ　a：正　　b：誤　　c：誤

エ　a：誤　　b：正　　c：誤

オ　a：誤　　b：誤　　c：正

第22問

　下図のような労働市場について考える。この図に関する記述として、最も適切な組み合わせを下記の解答群から選べ。

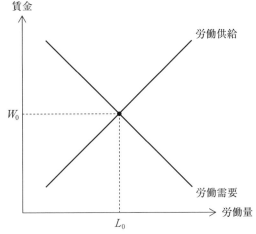

a　最低賃金をW_0より高い水準に設定すると、労働市場は超過供給の状態となり、失業が生じる。

b　労働市場を開放し、海外から労働移民を受け入れると、労働需要曲線が右方にシフトする。

c　資本投入量が増加すると、賃金は上昇する。

d　最低賃金をW_0より低い水準に設定すると、人手不足の状態となる。

[解答群]

ア　aとb　　イ　aとc　　ウ　aとd　　エ　bとc　　オ　cとd

　自由貿易協定によって、それまで輸入が禁止されていた果物の輸入が自由化されることになった。下図には、この果物に関する国内市場の需要曲線Dと供給曲線Sが描かれている。輸入自由化によって、国内価格がP_0から国際価格P_1になったときの消費者余剰と生産者余剰に関する記述として、最も適切なものを下記の解答群から選べ。

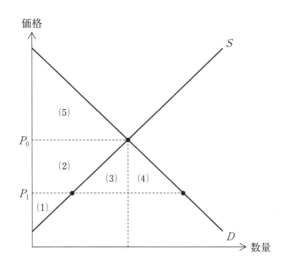

[解答群]

ア　自由貿易協定によって、消費者余剰は(3)と(4)の分だけ増加する。

イ　自由貿易協定によって、生産者余剰は(1)よりも大きくなり、消費者余剰は(5)よりも大きくなる。

ウ　自由貿易協定による、生産者から消費者への再分配効果は(1)と(2)である。

エ　自由貿易協定による生産者余剰の減少分は(2)である。

オ　自由貿易協定による総余剰の増加分は、(2)、(3)を加えたものである。

令和 **3** 年度
解答・解説

Answers

問題	解答	配点	正答率※	問題	解答	配点	正答率※	問題	解答	配点	正答率※
第1問	イ	4	D	第9問	ウ	4	C	第19問	ウ	4	B
第2問	エ	4	C	第10問	ウ	4	B	第20問	ウ	4	D
第3問	ウ	4	A	第11問	ア	4	C	第21問	イ	4	B
第4問	オ	4	B	第12問	ウ	4	D	第22問	イ	4	E
第5問 (設問1)	エ	4	B	第13問	オ	4	A	第23問	エ	4	A
第5問 (設問2)	ア	4	B	第14問	ウ	4	A				
第6問 (設問1)	ア	4	A	第15問	ウ	4	C				
第6問 (設問2)	イ	4	B	第16問	エ	4	B				
第7問	エ	4	B	第17問	ウ	4	A				
第8問	エ	4	C	第18問	イ	4	C				

※TACデータリサーチによる正答率
　正答率の高かったものから順に、A～Eの5段階で表示。
A：正答率80％以上　　　　　B：正答率60％以上80％未満　　　C：正答率40％以上60％未満
D：正答率20％以上40％未満　　E：正答率20％未満

解答・配点は一般社団法人日本中小企業診断士協会連合会の発表に基づくものです。

第1問

日本、アメリカ、中国、イギリスの実質国内総生産（前期比、四半期ベース、季節調整済）の推移に関する問題である。

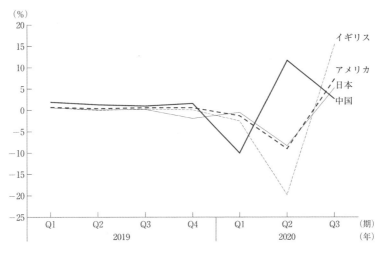

出所：独立行政法人労働政策研究・研修機構ホームページ

新型コロナウィルス感染症の影響があり、2019年末から2020年にかけて実質国内総生産（前期比、四半期ベース、季節調整済）はマイナスとなっているが、2020年の4～6月期（Q2期）において、中国は11.6％と早期の回復を果たしている。他方イギリスは、－19.5％と大きく落ち込み、日本も－8.1％となっている。なお、日本は2019年10月の消費増税の影響であるためか2019年の10～12月期（Q4期）の実質国内総生産（前期比、四半期ベース、季節調整済）がマイナスとなっている。

よって、**a**にはイギリス、**b**には日本、**c**には中国が該当するため、**イ**が正解である。

第2問

国債等の保有者別内訳に関する問題である。

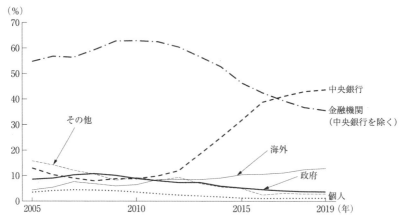

注：(1) 国債等は、「国庫短期証券」、「国債・財投債」の合計。また、国債等は、一般政府（中央政府）のほか、公的金融機関（財政融資資金）の発行分を含む。

(2) 各年とも12月末時点。

出所：日本銀行『資金循環統計』

※解説の便宜上、一部加筆・修正。

　中央銀行の保有割合は2012年末に11.94％であったが、2013年から上昇し、2019年末には43.69％まで上昇している。2012年末に金融機関（中央銀行を除く）の保有割合は67.84％であったが、2019年末には38.98％となっている。個人は2005年から現在までの期間において5％未満で推移している。

　よって、**a**には中央銀行、**b**には金融機関（中央銀行を除く）、**c**には個人が該当するため、**エ**が正解である。

第3問

　国民経済計算に関する問題である。GDPに参入されるのは、基本的に新たに生み出された付加価値であって市場で取引される財・サービスである。しかし、実際に取引が行われなくても、あたかも取引が行われたように記録したほうが、国民経済の姿をとらえるという目的にかなう場合がある。このような記録の仕方を帰属計算という。

a ✕：家族総出の大掃除は家事労働に該当すると考えられ、GDPには含まれない。

b 〇：正しい。家族での温泉旅行は新たに生み出された付加価値であって市場で取引されるサービスに該当すると考えられ、GDPに含まれる。

c 〇：正しい。子供への誕生日プレゼントの購入は新たに生み出された付加価値で

あって市場で取引されるサービスに該当すると考えられ、GDPに含まれる。

d ✕：孫へのお小遣いは新たに生み出された付加価値とはいえず、単なる所得の移転と考えられ、GDPには含まれない。

よって、**b**と**c**の組み合わせである**ウ**が正解である。

第4問

消費の理論に関する問題である。

a ✕：恒常所得仮説とは、消費を恒常所得（個人の所得獲得能力から予想される平均的な所得）と変動所得（景気の状態等により一時的に変動する所得）の2つに分けて考え、**今期の消費は恒常所得によって決定される**という考え方である。したがって、恒常所得仮説によれば、一時金の給付によって巣ごもり消費が喚起され、経済全体の消費は増加するとはいえないと考えられる。

b ✕：絶対所得仮説とは、**今期の消費は今期の所得水準に依存する**という考え方である。したがって、絶対所得仮説によれば、一時金の給付により、経済全体の消費は増加すると考えられる。なお、今期の消費は、今期の所得ではなく、一生のあいだに得ることのできる所得（生涯所得）に依存して決まるという考え方はライフサイクル仮説である。

c 〇：正しい。限界消費性向とは、所得が1単位増加したときの消費の増加分を表す。限界消費性向が高い者は得られた所得を消費に多く回すことになる。よって、限界消費性向が高い者にのみ一時金を給付するような政策は、所得制限をせずに一時金を給付するよりも政府の支出額を抑えて消費の増加につなげることができる。つまり、効果的に消費を支えると考えられる。

d 〇：正しい。需要の所得弾力性とは、所得が1％変化したときに需要量が何％変化するかを表すもので、需要の所得弾力性が高い財は、所得が増えたときの需要量が大きく変化する。したがって、需要の所得弾力性が高い財は、一時金の給付により所得が増えた場合、大きく消費が増加すると考えられる。

よって、**c**と**d**の組み合わせである**オ**が正解である。

第5問

設問1 ●●●

乗数理論に関する問題である。乗数理論とは、投資や政府支出の変化が国民所得に及ぼす効果について説明する理論である。乗数効果とは投資や政府支出を増加させたときに均衡国民所得がその何倍分も増加する効果のことであり、その何倍にあたる数字を乗数という。まずは、問題に与えられた数式を整理していく。

$$AD = C + I + G$$

$$C = C_0 + c \ (Y - T)$$

$$AD = C_0 + c \ (Y - T) + I + G$$

総需要（AD）＝総供給（AS）で、$AS = Y$より、

$$Y = C_0 + c \ (Y - T) + I + G$$

$$Y = C_0 + cY - cT + I + G$$

$$Y - cY = C_0 - cT + I + G$$

$$Y \ (1 - c) = C_0 - cT + I + G$$

$$Y = \frac{1}{1 - c} \ (C_0 - cT + I + G) \ \cdots ①$$

①式より、政府支出（G）が変化すると、$\frac{1}{1-c}$倍、租税（T）が変化すると、$\frac{-c}{1-c}$倍、投資（I）が変化すると、$\frac{1}{1-c}$倍、均衡国民所得が変化することがわかる。よって、政府支出乗数は$\frac{1}{1-c}$、租税乗数は$\frac{-c}{1-c}$、投資乗数は$\frac{1}{1-c}$である。

また、均衡予算とは歳入と歳出が均衡している財政であり、均衡予算乗数とは、政府支出と増税を同額だけ行った場合に、その何倍均衡国民所得が増加するかを表したものである。これは政府支出乗数と租税乗数を足し合わせることで求められる。

よって、$\frac{1}{1-c} + \frac{-c}{1-c} = \frac{1-c}{1-c} = 1$である。

a ✕：均衡予算乗数は1である。

b ◯：正しい。

c ✕：租税乗数は$\frac{-c}{1-c}$である。

d ◯：正しい。

よって、**b**と**d**の組み合わせである**エ**が正解である。

設問2 ● ● ●

乗数理論と財政政策の効果に関する問題である。（設問1）を使って効率的に解答したい。

a ○：正しい。政府支出の増加額と減税額が同じ規模のとき、景気拡大の効果の大小は乗数の大きさによって判断できる。（設問１）より、政府支出乗数は$\dfrac{1}{1-c}$、租税乗数は$\dfrac{c}{1-c}$（減税のため−を除いている）、$0 < c < 1$であるため、$\dfrac{1}{1-c}$ $> \dfrac{c}{1-c}$となり、政府支出の増加のほうが大きいといえる。

b ✗：選択肢**a**の解説を参照。

c ○：正しい。政府支出の増加に必要な財源を増税によってまかなうとは、均衡予算を編成した場合であり、（設問１）から均衡予算乗数は１である。これは、均衡予算を編成した場合、「政府支出の増加分×１」の効果があることを表している。つまり、増加させた政府支出の分だけ景気拡大の効果がある。

d ✗：選択肢**c**の解説を参照。

よって、**a**と**c**の組み合わせである**ア**が正解である。

第6問

設問1 ● ● ●

LM曲線に関する問題である。LM曲線は貨幣市場を均衡させるようなGDP（国民所得）と利子率の組み合わせを描いたものである。

LM曲線の傾きは貨幣需要の利子弾力性に依存する。貨幣需要の利子弾力性は、利子率の変化に対して貨幣需要がどれだけ変化するかを表したものである。

ケインズ派では利子率が上昇すると貨幣需要（投機的需要）は減少する。この需要の減少を取引需要が増加することにより貨幣の需要と供給が均衡する。取引需要を増加させるためにGDPが増加しなければならない。よって、利子率が上昇するとGDPが増加することになる。このことから、LM曲線は右上がりに描かれる。

貨幣の利子弾力性がゼロの場合、利子率が上昇しても貨幣需要が減少しないため、もう１つの貨幣需要である取引需要は増加しない。よって、利子率が変化してもGDPは増加しない。つまり、貨幣需要の利子弾力性がゼロのとき、LM曲線は垂直に描かれる。

よって、**ア**が正解である。

設問2 ● ● ●

IS-LM分析に関する問題である。政府支出の増加は拡張的財政政策であり、IS曲線を右シフトさせて検討する。また、貨幣供給の増加は拡張的金融政策であり、

*LM*曲線を右シフトさせて検討する。

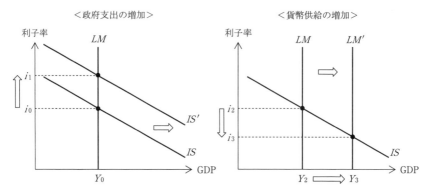

※解説の便宜上、一部加筆・修正。

a ○：正しい。グラフから政府支出の増加により利子率は上昇する（$i_0 \to i_1$）が、GDPはまったく増加しない（$Y_0 \to Y_0$）ことが読み取れる。また、クラウディング・アウトとは拡張的な財政政策が、利子率を上昇させ、投資の抑制を招き、国民所得増加の効果が小さくなってしまう現象のことである。本問ではGDPはまったく増加していないため、完全なクラウディング・アウトが発生するといえる。

b ✕：選択肢**a**を参照。

c ✕：グラフから貨幣供給の増加により利子率は低下（$i_2 \to i_3$）し、GDPは増加する（$Y_2 \to Y_3$）ことが読み取れる。

d ○：正しい。

よって、**a**と**d**の組み合わせである**イ**が正解である。

第7問

貨幣乗数に関する問題である。貨幣乗数（信用乗数）とは、マネー・ストック（マネー・サプライ）がマネタリー・ベースの何倍になるかを表した数値である。貨幣乗数はcを現金・預金比率、rを準備率とすると以下のように表される。

$$貨幣乗数 = \frac{c+1}{c+r}$$

また、マネタリー・ベースとは、中央銀行が世の中に直接的に供給する通貨のことであり、マネー・ストックとは金融部門から経済全体に供給している通貨の総量である。

a ✕：マネタリー・ベースが1単位増えると、マネー・ストックはその貨幣乗数倍、

増加する。

b **○**：正しい。準備率とは預金に対する法定準備預金額（市中銀行が準備預り金として中央銀行に預け入れなければならない最低金額）の割合のことである。準備率が高いほど、市中銀行は貸出しに回せる金額が小さくなるため、貨幣乗数は小さくなる。

c **✕**：現金よりも預金で通貨を保有する傾向が高まる（現金・預金比率の低下）と市中銀行は貸出しに回せる金額が大きくなるため、貨幣乗数は大きくなる。よって、マネタリー・ベースの増加に伴うマネー・ストックの増加の程度は大きくなる。

d **○**：正しい。

よって、**b**と**d**の組み合わせである**エ**が正解である。

第8問

金融政策に関する問題である。

a **○**：正しい。投資の利子感応度（投資の利子弾力性）が大きいほど、貨幣供給量の増加による利子率の低下に伴い投資が大きく増加し、GDPも大きく増加する。

b **✕**：貨幣数量説によると、貨幣供給量の増加は、**物価水準を上昇させるだけで、拡張的金融政策は無効と考える**。なお、名目GDP（物価と実質国民所得の積）は増加する。

c **✕**：貨幣供給量は経済成長率に合わせた一定率で増加させればよい（k％ルール）としているのは、ケインズ理論でなく、**マネタリスト（古典派の流れを汲む学派）**である。

d **✕**：流動性のわなとは、利子率が低下し、すべての人が「これ以上、利子率は低下しない」と考える状況である。よって、貨幣供給量の増加は、更なる利子率の低下がないことは正しい。しかし、**利子率が低下しないため、投資を促進できず、GDPは増加しないこととなる**。

よって、**a** =「正」、**b** =「誤」、**c** =「誤」、**d** =「誤」となり、**エ**が正解である。

第9問

外国貿易乗数に関する問題である。外国貿易乗数は開放経済下の乗数であり、詳細な計算は省略するが、限界消費性向をc、限界輸入性向をmとすると$\dfrac{1}{1-c+m}$で表される。第5問にもあるように、乗数効果とは投資や政府支出を増加させたときに均衡国民所得がその何倍分も増加する効果のことであり、その何倍にあたる数字を乗数という。また、輸出は総需要の増加項目であり、輸入は総需要の減少項目である。

以上のことから、輸出が増加すると輸出の増加分に外国貿易乗数を乗じた大きさだけ自国のGDPが増加し、輸入が増加すると輸入の増加分に外国貿易乗数を乗じた大きさだけ自国のGDPが減少する。

ア ✕：自国のGDPは「輸出の増加分×外国貿易乗数」の分だけ増加し、「輸入の増加分×外国貿易乗数」の分だけ減少する。よって、輸出と輸入が同規模であれば、自国のGDPは変化しない。つまり、**外国貿易乗数は1とはならない。**

イ ✕：輸出の増加は、輸出の増加分に外国貿易乗数を乗じた大きさだけ**自国のGDP**を増加させる。

ウ 〇：正しい。

エ ✕：輸入の増加は、輸入の増加分に外国貿易乗数を乗じた大きさだけ**自国のGDPを悪化させる。**

よって、**ウ**が正解である。

第10問

マンデル＝フレミングモデルに関する問題である。

●完全資本移動、変動相場制における財政政策の効果⇒無効

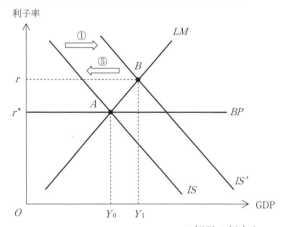

※解説の便宜上、一部加筆・修正。

① 拡張的財政政策により*IS*曲線が右方にシフトし、国内利子率（*r*）が上昇する。

② 海外から国内へ資本流入が起こる（資本収支は黒字）。

③ 為替市場では、円買いドル売りが進む。

④ 変動相場制のもと、為替レートが円高ドル安になる。

⑤ 輸出が減少、輸入が増加し（経常収支は赤字）、*IS*曲線が左シフト（生産物市場の需要が減少）する。

⑥ GDPは当初の水準に戻ってしまう。

●完全資本移動、変動相場制における金融政策の効果⇒有効

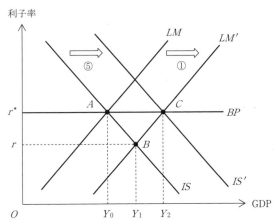

※解説の便宜上、一部加筆・修正。

① 拡張的金融政策により*LM*曲線が右方にシフトし、国内利子率（*r*）が低下する。

② 国内から海外へ資本流出が起こる（資本収支は赤字）。

③ 為替市場では、円売りドル買いが進む。

④ 変動相場制のもと、為替レートが円安ドル高になる。

⑤ 輸出が増加、輸入が減少し（経常収支は黒字）、*IS*曲線が右シフト（生産物市場の需要が増加）する。

⑥ GDPが大幅に増加する。

a ✕：金融緩和政策（拡張的金融政策）は、資本が**海外へ流出する**ことにより、自国通貨安を生じさせる。

b ◯：正しい。

c ◯：正しい。

d ✕：財政拡大政策（拡張的財政政策）は、**輸出が減少する**ことで、財政政策の効果は無効となる。

よって、**b**と**c**の組み合わせである**ウ**が正解である。

第11問

雇用・失業に関する問題である。

労働力人口　：15歳以上人口のうち、就業者と完全失業者を合わせたもの
非労働力人口：15歳以上人口のうち、労働力人口以外の者
就業者：従業者と休業者を合わせたもの
　　　　従業者：調査期間中に収入を伴う仕事を1時間以上した者
　　　　休業者：調査期間中に仕事を持ちながら少しも仕事をしなかった一定の者
完全失業者：次の3つの条件を満たす者をいう
　　　　①　調査期間中に仕事がなく、少しも仕事をしなかった者（就業者ではない）
　　　　②　調査期間中に仕事を探す活動等をしていた者
　　　　③　仕事があればすぐ就くことができる者

ア　○：正しい。

イ　✕：非労働力人口とは、15歳以上人口のうち、労働力人口以外の者である。**専業主婦（夫）は就業者でも完全失業者でもないため、非労働力人口に含まれる。**

ウ　✕：有効求人倍率とは月間有効求人数を月間有効求職者数で除した値である。また、完全失業率は労働力人口に占める完全失業者の割合である。有効求人倍率が1を超えても、求人と求職のミスマッチ（企業が求める能力と求職者の能力が一致しない）等の理由により、完全失業率はゼロとはならない。

エ　✕：選択肢**ウ**を参照。

オ　✕：労働力人口は、15歳以上であるため、未成年を含む。

　　　　よって、**ア**が正解である。

第12問

　全要素生産性に関する問題である。全要素生産性（技術水準）とは、労働生産性、資本生産性のような個別的な生産要素の部分生産性ではなく、すべての生産要素投入量と産出量の関係を計測するための指標である。新古典派のソローによって提唱された成長会計は現実経済における経済成長の要因が何であるかを考えるものであり、資

本ストックの増加、労働人口の増加、技術進歩の各要因が、経済成長にどのくらい寄与しているのかを定量的に把握しようとするものである。成長会計では、経済成長率を以下のように表す。

$$\frac{\triangle Y}{Y} = \frac{\triangle A}{A} + \alpha \frac{\triangle L}{L} + (1-\alpha) \frac{\triangle K}{K}$$

$\left[\begin{array}{l} Y：生産量、A：全要素生産性、L：労働投入量、K：資本ストック、\\ \alpha：労働分配率、1-\alpha：資本分配率 \end{array}\right]$

a ○：正しい。

b ✕：「経済成長率＝（労働分配率×**労働投入量の増加率**）＋（資本分配率×資本ストックの成長率）＋全要素生産性の成長率」である。

c ○：正しい。上記式より、生産要素の投入量（資本ストック、労働投入量）が一定であっても全要素生産性が上昇すると、生産量は増加する。

d ✕：生産量を労働投入量で除した値は、**労働生産性**である。

よって、**a**と**c**の組み合わせである**ウ**が正解である。

第13問

需要曲線および供給曲線のシフトに関する問題である。

ア ✕：技術の進歩によって供給曲線は右方へシフトする。

イ ✕：下図のように供給曲線の右方へのシフト幅が需要曲線の右方へのシフト幅より大きいとき、均衡価格は下落する（必ず均衡価格が上昇するわけではない）。

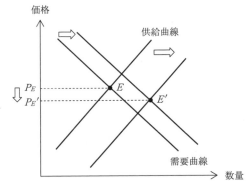

※解説の便宜上、一部加筆・修正。

ウ ✕：原材料費の下落によって供給曲線は右方へシフトする。

エ ✕：下図のように供給曲線の左方へのシフト幅が需要曲線の左方へのシフト幅より大きいとき、均衡価格は上昇する（必ず均衡価格が下落するわけではない）。

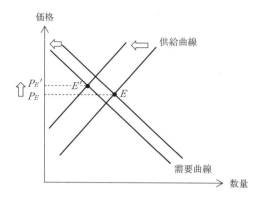

※解説の便宜上、一部加筆・修正。

オ ○：正しい。下図のように供給曲線が左方へシフトし、需要曲線が右方へシフトすると必ず均衡価格が上昇する。

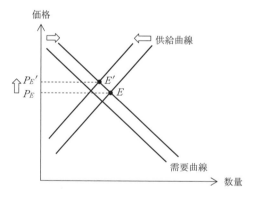

※解説の便宜上、一部加筆・修正。

よって、**オ**が正解である。

第14問

市場均衡に関する問題である。売り手の収入は「均衡価格×均衡取引量」である。

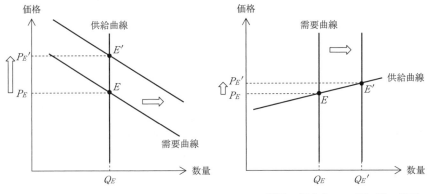

＜需要曲線が右方にシフト＞

※解説の便宜上、一部加筆・修正。

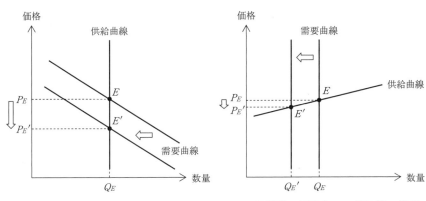

＜需要曲線が左方にシフト＞

※解説の便宜上、一部加筆・修正。

a　✗：需要曲線が右方にシフトすると、左図では、均衡価格は上昇するが、均衡取引量は不変である。よって、**売り手の収入は増加する。**

b　○：正しい。需要曲線が右方にシフトすると、右図では、均衡価格は上昇し、均衡取引量は増加する。よって、**売り手の収入は増加する。**

c　○：正しい。需要曲線が左方へシフトすると、左図では、均衡価格は下落し、均衡取引量は不変であるが、右図では、均衡価格は下落し、均衡取引量は減少する。よって、**売り手の収入は減少する。**

よって、**a** ＝「誤」、**b** ＝「正」、**c** ＝「正」となり、**ウ**が正解である。

無差別曲線に関する問題である。

a **✕**：不完全であるが、代替可能性のある2財の関係を示す無差別曲線は以下の図（左図）のような形状である。完全代替財を示す無差別曲線は以下の図（右図）のような形状である。

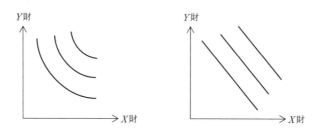

b **○**：正しい。下図の効用が$U_1 < U_2 < U_3$であり、U_2上の点Aからお弁当を増やすと効用が上昇し、ゴミを増やすと効用が低下する。

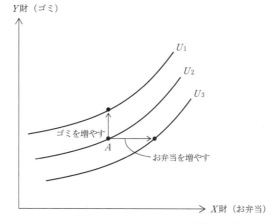

※解説の便宜上、一部加筆・修正。

c **○**：正しい。無差別曲線は同じ効用水準を得られる消費量の組み合わせを結んだ曲線である。

d **✕**：本問の無差別曲線は右上がりの形状をしているため、X財を1単位増やすために増やさなければならないY財の量は増加する。

よって、**b**と**c**の組み合わせである**ウ**が正解である。

スルツキー分解に関する問題である。スルツキー分解とは価格の変化が消費量に与

える効果（価格効果）を代替効果と所得効果の2つに分解することである。代替効果は（一方の財の）価格変化が（両財の）消費量に与える効果から実質所得の変化による消費量の変化の効果を除いたものである。また、予算制約線の傾きは2財の価格比を表す。本問では、新しい価格比による効果をとらえるために、予算制約線Bの傾きと平行な直線をひき、無差別曲線の接点Gをとる。そして、点Eから点Gへの変化が代替効果である。さらに、所得効果は価格の変化が消費量に対してもたらす効果のうち実質所得の変化を通じて生じる効果であり、本問では点Gから点Fへの変化である。

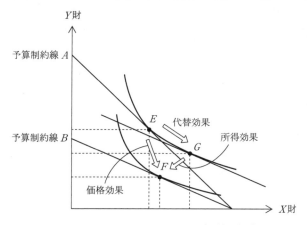

※解説の便宜上、一部加筆・修正。

a　**✕**：予算制約線Aから予算制約線Bへの変化は、*Y*財の価格の上昇によるものである。

b　**○**：正しい。

c　**✕**：点Eから**点G**への変化は、代替効果と呼ばれている。点Eから点Fへの変化は価格効果である。

d　**○**：正しい。

よって、**b**と**d**の組み合わせである**エ**が正解である。

第17問

需要の所得弾力性に関する問題である。需要の所得弾力性とは、所得が1％変化したときに需要量が何％変化するかを表すものである。需要の所得弾力性が正なら所得の増加に対し需要量は増加し、逆に負なら所得の上昇に対し需要量は減少する。需要の所得弾力性（η）の値によって財は次表のように分類される。

η の値			
$\eta \geqq 1$	➡	上級財	奢侈品
$1 > \eta > 0$			必需品
$\eta = 0$	➡	中立財	
$\eta < 0$	➡	下級財	

ア ✕：所得が増加したことで需要量が減少したと考えられるので、**学食はAさんに
とって下級財であると考えられる。**また、所得が増加したことで需要量が増加した
ため、イタリアンレストランはAさんにとって上級財と考えられる。

イ ✕：補完財とはある財の価格の上昇に対して、もう一方の財の需要量が減少する
２つの財のことである。一般にパソコンとソフトのように一緒に使われないと意味
が無い財同士は補完財と考えられる。また、代替財とはある財の価格の上昇に対し
て、もう一方の財の需要量が増加する２つの財のことである。一般にバターとマー
ガリンのように、性質・用途が似ており、互いに代替物となり得るような財は代替
財になると考えられる。財の価格が上昇したわけではないので正確にはいえないが、
本問の学食とイタリアンレストランは補完財というよりは代替財と考えられる。

ウ ◯：正しい。学食は所得の増加に対し需要量が減少したため、下級財と考えられ、
逆にイタリアンレストランは所得の増加に対し需要量が増加したため、上級財と
考えられる。

エ ✕：学食は所得の増加に対し需要量が減少したため、**下級財である。**イタリアン
レストランは上級財であるが、奢侈品であるか必需品であるかは需要の所得弾力性
の値がないため、不明である。

オ ✕：選択肢**エ**を参照。

よって、**ウ**が正解である。

第18問

外部経済に関する問題である。外部経済が存在する状況では市場の自由な取引に任
せていては社会的に望ましい生産量よりも過小となる。そこで、社会的限界費用と私
的限界費用の乖離分だけ、補助金を交付し、生産量を増加させる。補助金を生産にあ
て可変費用が減少することで、生産者の私的限界費用と社会的限界費用が一致する（供
給曲線がS_0からS_1になる）。

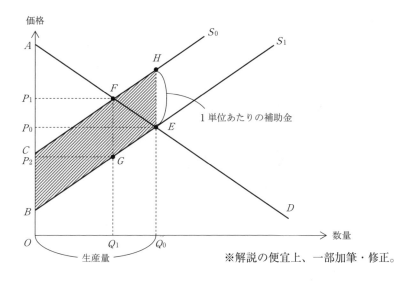

価格

A

S_0
S_1

H

F
P_1

1 単位あたりの補助金

P_0
E

C
P_2
G

B
D

O　　　Q_1　Q_0　　　　　　数量

生産量

※解説の便宜上、一部加筆・修正。

　本問では補助金交付前の生産量は需要曲線と私的限界費用曲線の交点Fの水準であるQ_1、補助金交付後の生産量は需要曲線と社会的限界費用曲線の交点Eの水準であるQ_0、交付する補助金は1単位あたりHE、補助金額は「$HE \times OQ_0$」で、**四角形$CBEH$**である。

　よって、**イ**が正解である。

第19問

　独占に関する問題である。独占企業は「MR（限界収入）＝MC（限界費用）」となるように生産量を決定する。このようにして決定された生産量は、完全競争市場と比較して過小であり、生産量に対応する市場価格は高く、その結果、社会的総余剰が小さくなる。

　本問では、独占企業は点Gの水準であるQ_1に生産量を決定する。価格は需要曲線により決定され、生産量Q_1に対応する点Fの水準であるP_1となる。

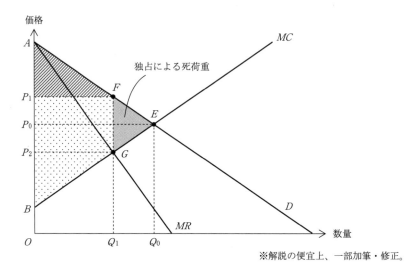

価格 : P_1
生産量 : Q_1
消費者余剰 : $\triangle AP_1F$
　　　　　（$\square AOQ_1F - \square P_1OQ_1F$）
生産者余剰 : $\square P_1BGF$
　　　　　（$\square P_1OQ_1F - \square BOQ_1G$）
社会的総余剰 : $\square ABGF$
　　　　　（$\triangle AP_1F + \square P_1BGF$）
独占による死荷重 : $\triangle FGE$
　　　　　（$\triangle ABE - \square ABGF$）

ア ○：正しい。社会的に望ましい生産量は、社会的総余剰が最大となる生産量Q_0で実現する。

イ ○：正しい。平均収入は「総収入÷生産量」であり、価格（P_1）と一致する。

ウ ×：独占企業が利潤を最大化させるときの消費者余剰は$\triangle AP_1F$である。

エ ○：正しい。

よって、**ウ**が正解である。

第20問

2部料金制に関する問題である。

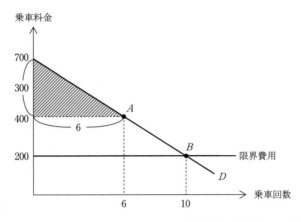

※解説の便宜上、一部加筆・修正。

a ✕：点Aにおいて太郎さんが支払う費用は「400円×6＋入場料」である。

b ○：正しい。下記の余剰分析を参照。

<点Aのときの消費者余剰>

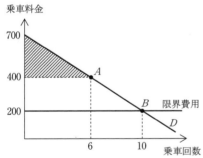

<点Bのときの消費者余剰>

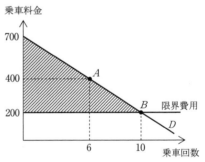

※解説の便宜上、一部加筆・修正。

c ○：正しい。問題の解釈がとても難しい。平均費用曲線が書かれていないので、入場料がいくらであるかはこの図からわからない（700円なのかどうかがわからない）。入場料は消費者余剰以下で設定される（消費者は消費者余剰より高い入場料では入場しない）。点Aにおいて消費者余剰は、（700円－400円）×6÷2＝900円である。よって、入場料は900円以下である。乗車料金が400円（点Aにおいては）であれば、太郎さんは6回乗車する。

よって、**a** ＝「誤」、**b** ＝「正」、**c** ＝「正」となり、**ウ**が正解である。

公共財に関する問題である。

	排除性なし（非排除性）	排除性あり
競合性なし （非競合性）	純粋公共財 （警察、国防）	準公共財 （クラブ財）
競合性あり	準公共財 （共有資源）	私的財 （電気製品、みかん）

純粋公共財：非競合性と非排除性の両方の性質をもつ財

準公共財　：非競合性、非排除性のどちらか一方のみの性質をもつ財

クラブ財　：料金を払ったものだけに提供される財　（例）スポーツクラブの会員

共有資源　：非排除性はあるが、非競合性はない財　（例）海洋資源

a　○：正しい。

b　○：正しい。

c　✕：非競合性と非排除性を持ち合わせる財のことを公共財という。

よって、**a** =「正」、**b** =「正」、**c** =「誤」となり、**イ**が正解である。

労働市場に関する問題である。労働市場において需要者は企業であり、供給者は家計である。

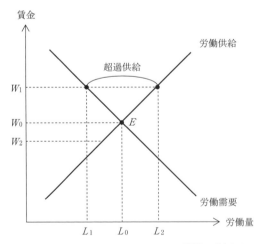

※解説の便宜上、一部加筆・修正。

a　○：正しい。上図のように最低賃金をW_1に設定すると、労働需要量はL_1、労働供給量はL_2となり、超過供給の状態となる。

b　✕：海外から労働移民を受け入れると同じ賃金で働く労働者の数が増加するため、**労働供給曲線が右方へシフトする。**

c　○：正しい。資本投入量が増加すると、労働需要曲線は右方へ（上方へ）シフトする。よって、新しい均衡点は E よりも右上方になるため、賃金は上昇する。

> 【参考】資本投入量が増加すると労働需要曲線が右方へ（上方へ）シフトする理由
> ①　資本を投入することで同じ労働量における限界生産物が上昇する。
> ②　労働の限界生産物と実質賃金率が等しい水準になるように労働量を決定する（古典派の第一公準）ため、同じ労働量における実質賃金率が上昇する。
> ③　同じ労働量で実質賃金率が上昇するため、労働需要曲線は上方（右方）へシフトする。

d　✕：最低賃金を W_0 より低い水準に設定すると、「最低賃金＜均衡賃金」である。選択肢 a では「最低賃金＞均衡賃金」であり、最低賃金以上の賃金を支払わなければならないため、賃金は上昇する。しかし、「最低賃金＜均衡賃金」であれば、均衡賃金を下げる必要はない。よって、**最低賃金を W_0 より低い水準に設定しても均衡賃金は変わらない。**補足すれば、賃金を W_0 より低い水準に設定すると、「労働需要量＞労働供給量」となり、人手不足の状態となるが、最低賃金を W_0 より低い水準に設定した場合は、賃金は W_0 のままであり、労働需要と労働供給は均衡する。

よって、**a** と **c** の組み合わせである**イ**が正解である。

第23問

自由貿易に関する問題である。余剰分析をすると以下のとおりである。

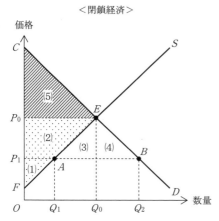

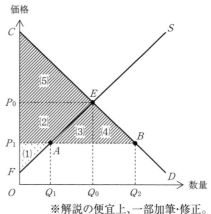

＜閉鎖経済＞

＜開放経済＞

※解説の便宜上、一部加筆・修正。

価格	: P_0
需要量	: Q_0
供給量	: Q_0
消費者余剰	: $\triangle CP_0E$
	（□COQ_0E－□P_0OQ_0E）
生産者余剰	: $\triangle P_0FE$
	（□P_0OQ_0E－□FOQ_0E）
社会的総余剰	: $\triangle CFE$
	（$\triangle CP_0E$＋$\triangle P_0FE$）

価格	: P_1
需要量	: Q_2
供給量	: Q_1
輸入量	: Q_1Q_2
消費者余剰	: $\triangle CP_1B$
	（□COQ_2B－□P_1OQ_2B）
生産者余剰	: $\triangle P_1FA$
	（□P_1OQ_1A－□FOQ_1A）
社会的総余剰	: □$CFAB$
	（$\triangle CP_1B$＋$\triangle P_1FA$）

ア ✕：自由貿易協定によって、消費者余剰は⑵と⑶と⑷の分だけ増加する。

イ ✕：自由貿易協定によって、生産者余剰は⑴となる。消費者余剰は⑸よりも大きくなるのは正しい。

ウ ✕：自由貿易協定による、生産者から消費者への再分配効果は⑵である。

エ ○：正しい。

オ ✕：自由貿易協定による総余剰の増加分は、⑶、⑷を加えたものである。

よって、**エ**が正解である。

令和 2 年度問題

uestions

令和 2 年度 問題

第1問

　下図は、日本、米国、ユーロ圏における政策金利の推移を示している。

　図中のa〜cに該当する国・地域の組み合わせとして、最も適切なものを下記の解答群から選べ。

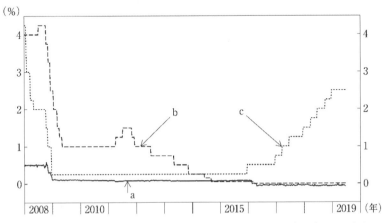

　注：各国・地域の政策金利は、無担保コールレート翌日物（日本）、FF 金利（米国）、市場介入金利（ユーロ圏）を使用。

出所：内閣府『経済財政白書』（令和元年度版）

```
[解答群]
ア　a：日本　　　　b：米国　　　　c：ユーロ圏
イ　a：日本　　　　b：ユーロ圏　　c：米国
ウ　a：ユーロ圏　　b：日本　　　　c：米国
エ　a：ユーロ圏　　b：米国　　　　c：日本
```

第2問　　参考問題

　下表は、2019年における日本の貿易相手国上位5か国（地域を含む）を示している。

　表中の空欄A〜Cに入る国の組み合わせとして、最も適切なものを下記の解答群から選べ。

	輸出	輸入
1位	A	B
2位	B	A
3位	C	オーストラリア
4位	台湾	C
5位	香港	サウジアラビア

出所：財務省貿易統計ホームページ

[解答群]

ア　A：中国　　B：韓国　　C：米国

イ　A：中国　　B：米国　　C：韓国

ウ　A：米国　　B：韓国　　C：中国

エ　A：米国　　B：中国　　C：韓国

第3問　　★重要★

国民経済計算の概念として、最も適切なものはどれか。

ア　国内総生産は、各生産段階で生み出される産出額の経済全体における総額である。

イ　中間投入には、減価償却費や人件費を含まない。

ウ　名目国内総生産は、実質国内総生産をGDPデフレーターで除したものに等しい。

エ　名目国内総生産は、名目国民総所得に海外からの所得の純受取を加算したものに等しい。

第4問

下図は、均衡GDPの決定を説明する貯蓄・投資図である。

消費 C は次のようなケインズ型の消費関数によって表されるとする。

$$C = C_0 + cY$$

（Y：所得、C：消費、C_0：基礎消費、c：限界消費性向（$0 < c < 1$））

また、I は投資、S は貯蓄であり、$S = Y - C$ である。

この図に基づいて、下記の設問に答えよ。

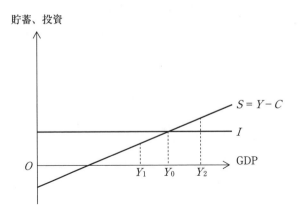

貯蓄、投資

$S = Y - C$

I

GDP

O Y_1 Y_0 Y_2

設問1 ● ● ●

　この図に関する記述として、最も適切なものはどれか。

ア　GDPがY_0にあるとき、総需要＝総供給、投資＝貯蓄である。

イ　GDPがY_1にあるとき、総需要＜総供給、投資＞貯蓄である。

ウ　GDPがY_1にあるとき、総需要＞総供給、投資＜貯蓄である。

エ　GDPがY_2にあるとき、総需要＜総供給、投資＞貯蓄である。

オ　GDPがY_2にあるとき、総需要＞総供給、投資＜貯蓄である。

設問2 ● ● ●

　人々の節約志向が高まって、貯蓄意欲が上昇したとする。このときの消費
とGDPの変化に関する記述として、最も適切なものはどれか。

ア　消費が減少し、GDPも減少する。

イ　消費が減少し、GDPが増加する。

ウ　消費が増加し、GDPが減少する。

エ　消費が増加し、GDPも増加する。

第5問　　★重要★

　下図は、45度線図である。*AD*は総需要、Y_0は完全雇用GDP、Y_1は現在の均
衡GDPである。この経済では、完全雇用GDPを実現するための総需要が不足

している。この総需要の不足分は「デフレ・ギャップ」と呼ばれる。

　下図において「デフレ・ギャップ」の大きさとして、最も適切なものを下記の解答群から選べ。

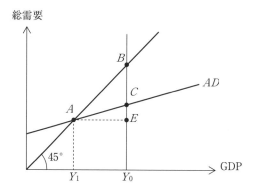

［解答群］

ア　*AE*　　イ　*BC*　　ウ　*BE*　　エ　*CE*

第6問　　★ 重要 ★

　下図は、*IS*曲線と*LM*曲線を描いたものである。この図に基づいて、下記の設問に答えよ。

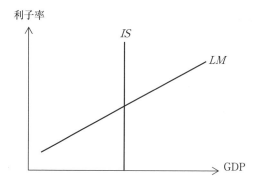

設問1 ● ● ●

　*IS*曲線が垂直になる例として、最も適切なものはどれか。

ア　貨幣需要の利子弾力性がゼロである。

イ　貨幣需要の利子弾力性が無限大である。

ウ　投資需要の利子弾力性がゼロである。

エ　投資需要の利子弾力性が無限大である。

設問2 • • • •

IS曲線が垂直であるときの財政政策と金融政策の効果に関する記述として、最も適切なものの組み合わせを下記の解答群から選べ。

a　金融緩和政策は、LM曲線を右方にシフトさせる。これによって利子率が低下するが、投資が増加しないため、GDPは増加しない。

b　金融緩和政策は、LM曲線を右方にシフトさせる。これによって利子率が低下し、投資が増加するため、GDPは増加する。

c　政府支出の増加は、IS曲線を右方にシフトさせる。このとき、利子率は上昇するが、クラウディング・アウトは発生せず、GDPは増加する。

d　政府支出の増加は、IS曲線を右方にシフトさせる。このとき、利子率が上昇し、投資が減少するが、GDPは増加する。

```
[解答群]
ア　aとc　　イ　aとd　　ウ　bとc　　エ　bとd
```

第7問　　★重要★

トービンのqに関する記述として、最も適切なものはどれか。

ア　企業の株価総額と現存の資本の買い替え費用の総額が等しいとき、企業は新規の投資を増やす。

イ　企業の市場価値が資本の再取得価格を下回るとき、企業は新規の投資を実行する。

ウ　企業の市場価値と投資費用が等しいとき、企業は新規の投資を増やす。

エ　資本投資の予想収益が投資費用よりも大きいとき、企業は新規の投資を実行する。

第8問　　★重要★

失業に関する記述として、最も適切なものはどれか。

ア　完全失業率は、完全失業者が20歳以上の労働力人口に占める割合である。

イ　構造的失業は、賃金が伸縮的であれば発生しない。

ウ　循環的失業は、総供給の不足によって生じる。

エ　摩擦的失業は、労働市場が正常に機能していても発生する。

第9問

　価格や賃金の硬直性に関する記述として、最も適切なものの組み合わせを下記の解答群から選べ。

a　SNSを利用したクーポンは、メニュー・コストを引き下げるため、価格の硬直性の要因となる。

b　企業が優秀な人材を確保するために効率賃金の水準で賃金を支払うことは、賃金の下方硬直性の要因となる。

c　消費者の属性に応じて多様な価格設定を用意することは、メニュー・コストを引き上げるため、価格の硬直性の要因となる。

d　名目賃金よりも価格が下方硬直的であることは、実質賃金の下方硬直性の要因となる。

[解答群]
ア　aとb　　イ　aとd　　ウ　bとc　　エ　cとd

第10問　★重要★

　貨幣供給に関する記述として、最も適切なものの組み合わせを下記の解答群から選べ。

a　家計が現金の保有性向を高め、現金・預金比率が大きくなると、貨幣乗数は大きくなる。

b　家計が現金の保有性向を高め、現金・預金比率が大きくなると、貨幣乗数は小さくなる。

c　日本銀行による債券の売りオペレーションは、マネタリー・ベースを増加させる。

d　日本銀行による債券の買いオペレーションは、マネタリー・ベースを増加させる。

第11問　　★重要★

　グローバル化の進展には、資本移動と為替レート制度が重要である。ここでは、マンデル＝フレミング・モデルの完全資本移動かつ小国のケースを考える。

　変動為替レート制下での財政政策と金融政策の効果に関する記述として、最も適切なものの組み合わせを下記の解答群から選べ。

a　財政拡大政策は、完全なクラウディング・アウトを引き起こし、所得は不変である。

b　金融緩和政策は、自国通貨高による純輸出の減少を引き起こす。

c　財政拡大政策は、自国通貨安による純輸出の増加を引き起こす。

d　金融緩和政策は、純輸出の増加を通じて、GDPを押し上げる。

[解答群]

ア　aとb　　イ　aとd　　ウ　bとc　　エ　cとd

第12問　　★重要★

　下図では、需要曲線Dと供給曲線Sの交点Eに対応する生産量Q_0のもとで市場全体の経済余剰が最大化し、資源配分が効率的になる。反対に、Q_0以外の生産量では、資源配分は非効率的になる。

　この図に関する記述として、最も適切なものを下記の解答群から選べ。

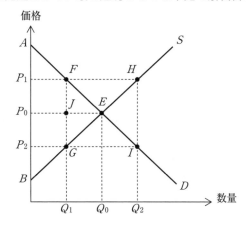

問題

2年度

201

ア　生産量がQ_1のとき、点Eの場合と比べて、消費者余剰が三角形EFGの分だけ少なくなるので、資源配分は非効率的になる。

イ　生産量がQ_1のとき、点Eの場合と比べて、生産者余剰は四角形P_1FJP_0の分だけ多くなるが、総余剰では三角形EFJだけ少なくなるので、資源配分は非効率的になる。

ウ　生産量がQ_2のとき、点Eの場合と比べて、消費者余剰は四角形P_0EIP_2の分だけ多くなるが、総余剰では三角形EHIだけ少なくなるので、資源配分は非効率的になる。

エ　生産量がQ_2のとき、点Eの場合と比べて、生産者余剰が四角形P_0EGP_2の分だけ少なくなるので、資源配分は非効率的になる。

第13問　★重要★

　家計においては、効用を最大化するために、予算制約を考えることが重要となる。この家計は、X財とY財の2財を消費しているものとする。

　下図に関する記述として、最も適切なものを下記の解答群から選べ。

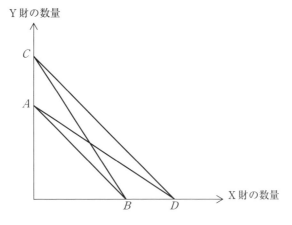

[解答群]

ア　予算線ABは、この家計の所得とY財の価格を一定としてX財の価格が下落すると、ADへと移動する。

イ 予算線*AB*は、この家計の所得を一定としてX財とY財の価格が同じ率で上昇すると、*CD*へと平行移動する。

ウ 予算線*CD*は、この家計の所得が増加すると、*AB*に平行移動する。

エ 予算線*CD*は、この家計の所得とX財の価格を一定としてY財の価格が上昇すると、*CB*へと移動する。

第14問　★重要★

企業や商店にとって、消費者の嗜好を知ることは重要である。下図のような無差別曲線を持つ消費者の嗜好に関する記述として、最も適切なものを下記の解答群から選べ。

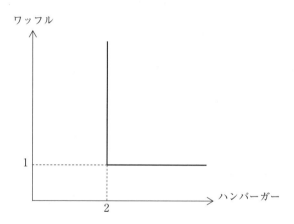

[解答群]

ア この消費者は、ハンバーガー2個かワッフル1個のいずれかを選んで消費することを好んでいることが分かる。

イ この消費者は、ハンバーガー2個に対して、ワッフルの消費を増やすほど効用が増加する、ワッフルが大好きな消費者であることが分かる。

ウ この消費者は、ワッフル1個に対して、ハンバーガーの消費を2個以上に増やしたとしても、効用は変わらないことが分かる。

エ この消費者は、ワッフル1個に対して、ハンバーガーの消費を増やすほど効用が増加する、ハンバーガーが大好きな消費者であることが分かる。

働くことにより得られる所得と余暇のバランスを考えることは重要である。下図は、家計の所得と余暇の組み合わせについて、予算制約線と無差別曲線を用いて示したものである。賃金の上昇に伴う点Eから点Fへの移動に関する記述として、最も適切なものを下記の解答群から選べ。

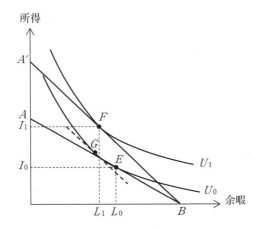

[解答群]

ア　点Eから点Gへの変化は、実質所得の増加によって、正常財としての余暇の需要が増加する部分であり、「所得効果」という。

イ　点Eから点Gへの変化は、賃金の上昇によって、時間の配分が余暇から労働に切り替えられた部分であり、「代替効果」という。

ウ　点Gから点Fへの変化は、実質所得の増加によって、正常財としての余暇の需要が減少する部分であり、「所得効果」という。

エ　点Gから点Fへの変化は、賃金の上昇によって、時間の配分が労働から余暇に切り替えられた部分であり、「代替効果」という。

下図は、資本量を一定とした場合の労働量と生産量の関係を示した総生産物曲線である。また、労働量と労働の限界生産物との関係は、労働需要曲線として描くことができる。

総生産物曲線上の点A、点B、点Cと対応関係にある労働需要曲線として、最も適切なものを下記の解答群から選べ。

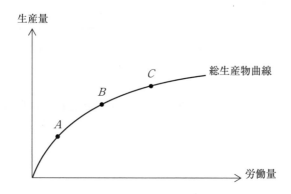

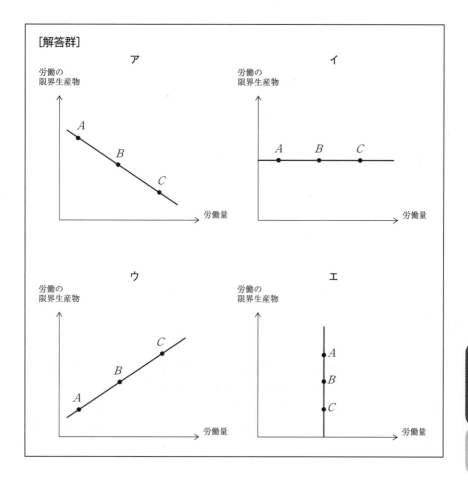

農業保護を目的とした農家への補助金政策の効果を考える。下図において、Dは農産物の需要曲線、Sは補助金交付前の農産物の供給曲線、S'は補助金交付後の農産物の供給曲線である。政府は、農産物1単位当たりEFまたはHGの補助金を交付する。

この図に関する記述として、最も適切なものの組み合わせを下記の解答群から選べ。

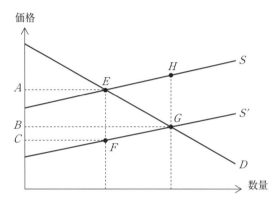

a　政府が交付した補助金は四角形ACFEである。

b　補助金の交付によって、消費者の余剰は四角形ABGEだけ増加する。

c　補助金の交付によって、総余剰は三角形EFGだけ増加する。

d　補助金の交付によって、農家の余剰は四角形BCFGだけ増加する。

[解答群]
ア　aとb　　イ　aとc　　ウ　bとc　　エ　bとd

オーバー・ツーリズムによる地域住民の生活への悪影響に対して、政府が税を使って対処することの効果を考える。下図において、Dはこの地域の観光資源に対する需要曲線、Sは観光業者の私的限界費用曲線、S'はオーバー・ツーリズムに伴う限界外部費用を含めた観光業者の社会的限界費用曲線である。

この図に関する記述として、最も適切なものの組み合わせを下記の解答群から選べ。

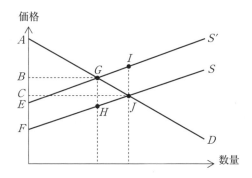

a 課税によって、観光客の余剰は四角形BCJGだけ減少する。

b 課税によって、観光業者の余剰は四角形EFHGだけ減少する。

c 課税によって、この地域の総余剰は三角形GJIだけ増加する。

d 課税によって、政府は四角形EFJIの税収を得る。

[解答群]
ア aとb　イ aとc　ウ bとc　エ bとd

第19問

　下図は、ある財の需要曲線と供給曲線を描いている。Dはこの財の需要曲線、Sは課税前の供給曲線である。この財には、税率 t ％で従価税が課されており、S'は課税後の供給曲線である。

　この税による税収と超過負担の組み合わせを表すものとして、最も適切なものを下記の解答群から選べ。

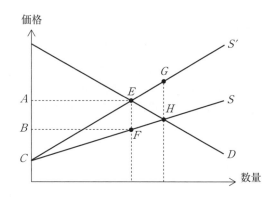

［解答群］

ア　税収：四角形*ABFE*　　超過負担：三角形*EFH*

イ　税収：四角形*ABFE*　　超過負担：三角形*EHG*

ウ　税収：三角形*CEF*　　超過負担：三角形*EFH*

エ　税収：三角形*CEF*　　超過負担：三角形*EHG*

第20問

居酒屋は独占的競争市場の一例として考えられている。このような独占的競争市場における居酒屋に関する記述として、最も適切なものの組み合わせを下記の解答群から選べ。

a　この居酒屋は、周囲の居酒屋が価格を下げた場合でも、製品差別化のおかげで需要が減少することはない。

b　この居酒屋は、正の利潤を見込んで新規の居酒屋が多数参入してくると、製品が差別化されていたとしても、長期的に利潤はゼロになる。

c　この居酒屋は、他の居酒屋とは差別化したメニューを出しているので、価格支配力を持つ。

d　この居酒屋は、プライス・テイカーである。

［解答群］

ア　aとc　　イ　aとd　　ウ　bとc　　エ　bとd

第21問　★重要★

２部料金制の考え方によれば、電力やガスなどの産業では、政府が補助金の交付をしなくても最適な生産水準が達成される。下図には、需要曲線*D*、平均費用曲線*AC*、限界費用曲線*MC*、限界収入曲線*MR*が描かれている。

この図に関する記述として、最も適切なものを下記の解答群から選べ。

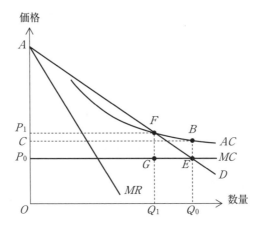

[解答群]

ア　最適な生産水準はQ_0となり、消費者が均等に負担する基本料金は、四角形 OP_0EQ_0である。

イ　最適な生産水準はQ_0となり、消費者が均等に負担する基本料金は、四角形 P_0EBCである。

ウ　最適な生産水準はQ_1となり、消費者が均等に負担する基本料金は、四角形 OP_0GQ_1である。

エ　最適な生産水準はQ_1となり、消費者が均等に負担する基本料金は、四角形 P_1FGP_0である。

第22問　　★ 重要 ★

　夫婦による家事分担は重要である。会社員の太郎さんと主婦の花子さんには、夕方の家事に関して「協力する」「相手に任せる」という選択肢がある。

　2人がともに「協力する」場合、楽しく家事ができ、お互いの負担を大きく減らすことができるので、ともに30の利得が得られる。また、どちらか一方が「相手に任せる」場合は、任せた方は苦労がなく50の利得が得られるが、1人で家事を行う方は－30と大きい負担となる。さらに、お互いに「相手に任せる」場合は、結果として2人が嫌々家事をすることになるので、ともに－10となる。

　下表は、以上の説明を、利得マトリックスにまとめたものである。マトリックスの左側が太郎さんの利得、右側が花子さんの利得である。下表に関する記述として、最も適切なものを下記の解答群から選べ。

	花子さん	
	協力する	相手に任せる
太郎さん　協力する	30, 30	−30, 50
太郎さん　相手に任せる	50, −30	−10, −10

［解答群］

ア　太郎さんと花子さんには、共通の支配戦略がある。

イ　太郎さんと花子さんは、お互いに異なる戦略をとると利得が増加する。

ウ　太郎さんの最適反応は「相手に任せる」、花子さんの最適反応は「協力する」
　　である。

エ　ナッシュ均衡は、ともに「協力する」組み合わせである。

第23問

一般に公正性は、何をもって公正とするかの価値判断が必要とされるため、
一義的に決めることは難しいが、公正性の貢献基準によれば、生産活動におけ
る各人の貢献の度合いに応じて所得が分配されるとき、公正性が実現する。

この貢献基準に関する記述として、最も適切なものの組み合わせを下記の解
答群から選べ。

a　貢献基準は、すべての人々が平等に所得を得ることを前提としている。

b　貢献基準では、熟練労働者の方が未熟練労働者よりも、賃金水準が高くなる。

c　貢献基準では、資産をどのくらい保有しているかが考慮されている。

d　貢献基準では、社会的弱者を救済することは難しい。

令和 2 年度
解答・解説

nswers

問題	解答	配点	正答率※	問題	解答	配点	正答率※	問題	解答	配点	正答率※
第1問	イ	4	C	第9問	ウ	4	D	第19問	ア	4	D
第2問	エ	4	B	第10問	エ	4	B	第20問	ウ	4	D
第3問	イ	4	D	第11問	イ	4	B	第21問	イ	4	D
第4問 (設問1)	ア	4	B	第12問	ウ	4	D	第22問	ア	4	B
第4問 (設問2)	ア	4	A	第13問	ア	4	A	第23問	エ	4	B
第5問	イ	4	B	第14問	ウ	4	A				
第6問 (設問1)	ウ	4	A	第15問	イ	4	A				
第6問 (設問2)	ア	4	B	第16問	ア	4	A				
第7問	エ	4	B	第17問	エ	4	C				
第8問	エ	4	B	第18問	イ	4	B				

※TACデータリサーチによる正答率
　正答率の高かったものから順に、A～Eの5段階で表示。
A：正答率80％以上　　　　　B：正答率60％以上80％未満　　　C：正答率40％以上60％未満
D：正答率20％以上40％未満　E：正答率20％未満

解答・配点は一般社団法人日本中小企業診断士協会連合会の発表に基づくものです。

令和 2 年度 解説

第1問

　日本、米国、ユーロ圏における政策金利の推移に関する問題である。政策金利とは各国の中央銀行（日本であれば日本銀行）が一般の銀行に対して融資する際の金利のことであり、一般に好景気の場合には金利を高く設定し、不景気の場合には金利を低く設定する。

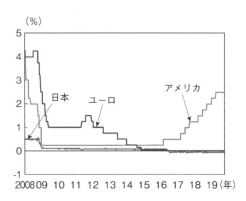

出所：内閣府『経済財政白書』（令和元年度）

　日本は1999年にはゼロ金利政策が始まる等、1990年代から2020年に至るまでずっと低い金利の状態が続いている（選択肢 **a**）。ユーロ圏は、2016年3月以降、政策金利を0.00％に据え置いており、2020年においても米国と異なり金利引き上げには至っていない（選択肢 **b**）。米国は2015年12月から2018年12月までの間に9回政策金利を引き上げている（選択肢 **c**）。

　よって、**a** には日本、**b** にはユーロ圏、**c** には米国が該当するため、**イ**が正解である。

第2問

　2019年における日本の貿易相手国上位5か国（地域を含む）に関する問題である。輸出先の1位と2位は年によって入れかわるため、輸入先から選択肢を検討する対応がよいかもしれない。

年	輸出 2019 年	輸入 2019 年
総額	769,317 億円	785,995 億円
1	米国 152,545 億円 （19.8 %）	中国 184,537 億円 （23.5 %）
2	中国 146,819 億円 （19.1 %）	米国 86,402 億円 （11.0 %）
3	韓国 50,438 億円 （6.6 %）	オーストラリア 49,576 億円 （6.3 %）
4	台湾 46,885 億円 （6.1 %）	韓国 32,271 億円 （4.1 %）
5	香港 36,654 億円 （4.8 %）	サウジアラビア 30,158 億円 （3.8 %）

出所：財務省貿易統計ホームページ

　本問で問われている2019年の輸出先の１位は米国（空欄Aに該当）である。輸出先に関しては、米国と中国（空欄Bに該当）で、年により１位が異なっている（たとえば2018年の輸出先の１位は中国である）。しかし、輸入先の１位に関しては2002年からずっと中国となっている。輸出の３位、および輸入の４位を覚えているのは困難であるが、本問は選択肢から残りは韓国（空欄Cに該当）となる。

　よって、Aには米国、Bには中国、Cには韓国が該当するため、**エ**が正解である。

第3問

　国民経済計算に関する問題である。

ア **×**：国内総生産は、各生産段階で生み出される**付加価値**の経済全体における総額である。付加価値は、生産額から中間投入額を差し引いたものである。

イ **○**：正しい。減価償却費や人件費は国内総生産に含まれるため、中間投入には含まれない。国内総生産に含まれるか否かは、分配面から見た国内総生産を考えるとよいかもしれない。分配面から見た国内総生産は、雇用者報酬、営業余剰・混合所得、固定資本減耗、（間接税－補助金）の和であり、減価償却費は固定資本減耗に、人件費は雇用者報酬に含まれる。

ウ **×**：**実質**国内総生産は、名目国内総生産をGDPデフレータで除したものに等しい。

エ **×**：名目国民総所得は、名目国内総生産に海外からの所得の純受取を加算したものに等しい。

　よって、**イ**が正解である。

　45度線分析に関する問題である。45度線分析では、通常、総需要と総供給（45度線）で均衡国民所得を分析するが、本問では投資と貯蓄を用いて分析する。

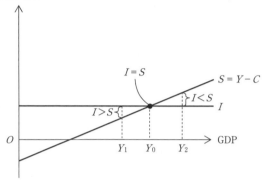

貯蓄、投資

※解説の便宜上、一部加筆・修正。

(1) GDPがY_0にある場合

　→$S = Y - C$とIが交わっている（一致している）ため、$I = S$（投資＝貯蓄）である。

　$I = S$に$S = Y - C$を代入して、$I = Y - C$

　これより、$C + I = Y$…①

　広義の国民所得は一国経済の最終生産物を包括的に指し、GDPととらえられる。また、総供給は一国全体における財・サービスの生産の総額であるため、45度線分析では総供給はGDPと等しくなる。つまり、①式の右辺のYは総供給である。

　一方、①式の左辺は消費と投資の和であるが、本問では政府支出や純輸出等がないため、総需要である。

　以上のことから、均衡GDPがY_0にある場合、総需要と総供給が一致するといえる。

(2) GDPがY_1にある場合（Y_0より左側にある場合）

　→$S = Y - C$よりもIが上にあるため、$I > S$（投資＞貯蓄）である。

　$I > S$に$S = Y - C$を代入して、$I > Y - C$

　$C + I > Y$

　これより、総需要＞総供給である。

(3) GDPがY_2にある場合（Y_0より右側にある場合）

　　→Iよりも$S=Y-C$が上にあるため、$I<S$（投資＜貯蓄）である。

　　$I<S$に$S=Y-C$を代入して、$I<Y-C$

　　$C+I<Y$

　　これより、総需要＜総供給である。

ア　○：正しい。

イ　×：GDPがY_1にあるとき、**総需要＞総供給**である。投資＞貯蓄であることは正しい。

ウ　×：GDPがY_1にあるとき、**投資＞貯蓄**である。総需要＞総供給であることは正しい。

エ　×：GDPがY_2にあるとき、**投資＜貯蓄**である。総需要＜総供給であることは正しい。

オ　×：GDPがY_2にあるとき、**総需要＜総供給**である。投資＜貯蓄であることは正しい。

　　よって、**ア**が正解である。

設問2 ● ● ●

　45度線分析に関する問題である。以下、グラフを用いて解説するが、貯蓄は所得のうち消費されない部分であり、貯蓄意欲が増加すれば消費は減少し、需要項目である消費が減少すれば、GDPも減少すると考えた方が多いかもしれない。

　(1)冒頭のとおり、貯蓄意欲が増加すれば消費は減少する。

　(2)問題の数式を変形する。

　　$C=C_0+cY\cdots$②

　　$S=Y-C\cdots$③

　　②を③に代入して

　　$S=Y-(C_0+cY)$

　　$S=Y-cY-C_0$

　　$S=(1-c)Y-C_0\cdots$④

　　④より、グラフにある右上がりの直線は、傾きが（$1-c$）、切片が$-C_0$であることがわかる。

貯蓄、投資

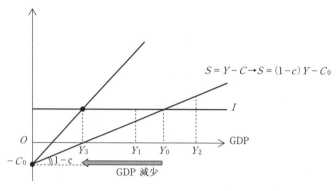

$$S = Y - C \rightarrow S = (1 - c) Y - C_0$$

I

GDP

O Y_3 Y_1 Y_0 Y_2

$-C_0$ $\underbrace{\quad}_{1-c}$ GDP 減少

※解説の便宜上、一部加筆・修正。

　c は限界消費性向であるため、$(1-c)$ は限界貯蓄性向である。問題文の「貯蓄意欲が上昇」は限界貯蓄性向が上昇することであり、右上がりの直線の傾きは $(1-c)$ であるから、「貯蓄意欲が上昇」すると、直線の傾きは大きくなる。2直線の交点のGDPは、（設問1）で検討したように均衡GDPである。上図のように、傾きが大きくなった後の直線との交点のGDP（Y_3）は、Y_0より左側にあることから、GDPが減少（$Y_0 \rightarrow Y_3$）していることが確認できる。

ア　○：正しい。

イ　×：貯蓄意欲が上昇すると、**GDPは減少する**。消費が減少するのは正しい。

ウ　×：貯蓄意欲が上昇すると、**消費は減少する**。GDPが減少するのは正しい。

エ　×：貯蓄意欲が上昇すると、**消費は減少し、GDPも減少する**。

　よって、**ア**が正解である。

第5問

　デフレ・ギャップに関する問題である。デフレ・ギャップとは、完全雇用国民所得水準下における総供給と総需要の差（総供給＞総需要）のことである。

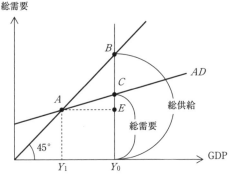

※解説の便宜上、一部加筆・修正。

　本問のグラフより、完全雇用国民所得水準における総需要はCY_0、総供給はBY_0で
あり、その差である**BCのデフレ・ギャップが発生**している。

　なお、ケインズ理論では、デフレ・ギャップを解消するためには、政府支出の拡大
や減税などの総需要管理政策により、需要を調整することで完全雇用国民所得が実現
するとしている。

　よって、**イ**が正解である。

第6問

設問1 ● ● ●

　IS-LM分析に関する問題である。IS曲線は財市場を対象とした利子率とGDP（国
民所得）の関係をあらわしたものである。

　通常IS曲線は右下がりに描かれるが、そのプロセスは以下のとおりである。

> 利子率（i）↓⇒投資（I）↑⇒総需要↑⇒GDP（Y）↑

　IS曲線が垂直に描かれるということは、利子率が低下してもGDPが増加しないこ
とを表している。

　また、貨幣需要の利子弾力性は、利子率の変化に対して貨幣需要がどれだけ変化
するかを表し、投資の利子弾力性は、利子率の変化に対して投資がどれだけ弾力的
に変化するかを表している。

　投資の利子弾力性がゼロの場合、利子率の変化に対して投資が増加しないため、
GDPは増加しない。つまり、投資の利子弾力性がゼロのとき、IS曲線は垂直に描か
れる。

　よって、**ウ**が正解である。

設問2 ●●●

IS-LM分析に関する問題である。

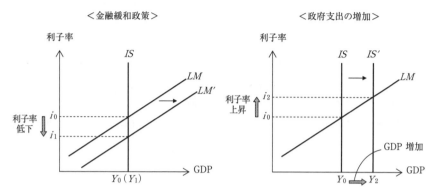

<金融緩和政策>

<政府支出の増加>

※解説の便宜上、一部加筆・修正。

a ○：正しい。金融緩和政策（拡張的な金融政策）はLM曲線を右方にシフトさせる。図のように、IS曲線とLM曲線の交点である均衡利子率は低下（$i_0 \rightarrow i_1$）するが、GDPは増加しない。これは、投資の利子弾力性がゼロのとき、利子率の変化によって投資は増加しないため、GDPは増加しない（$Y_0 = Y_1$）ことを表している。

b ×：選択肢**a**の解説のとおり、金融緩和政策は、LM曲線を右方にシフトさせることは正しい。しかし、このとき、投資の利子弾力性がゼロのため、**投資が増加せず、GDPは増加しない**。

c ○：正しい。クラウディング・アウトとは、拡張的な財政政策が利子率を上昇させ、投資の抑制を招き、GDP増加の効果が小さくなってしまう現象のことである。政府支出の増加（拡張的な財政政策）はIS曲線を右方にシフトさせる。図のように、IS曲線とLM曲線の交点である均衡利子率は上昇（$i_0 \rightarrow i_2$）するが、クラウディング・アウトは発生せず、GDPは増加する（$Y_0 \rightarrow Y_2$）。これは、投資の利子弾力性がゼロのため、利子率が上昇しても投資は減少せず、GDP増加の効果は小さくならないことを表している。

d ×：選択肢**c**の解説のとおり、政府支出の増加はIS曲線を右方にシフトさせ、利子率が上昇することは正しい。しかし、投資の利子弾力性がゼロのため、**投資が減少しないで、GDPは増加する**。

よって、**a**と**c**の組み合わせである**ア**が正解である。

第7問

　トービンの q 理論に関する問題である。トービンの q 理論では、企業の資本ストックと市場価値の比を q とし、q が1より大きければその企業の投資は実行されるとする。なお、企業の市場価値は、株価総額で表される場合と、株価総額と負債総額の合計で表される場合がある。また、分母の企業の資本ストックは、資本ストックの再取得価格と表される場合がある。

$$q = \frac{\text{企業の市場価値}}{\text{現存の資本ストックを買い換える費用総額}}$$

ア ✕：トービンの q 理論では、企業の株価総額が現存の資本の買い換え費用の総額を<u>上回る</u>とき、企業は新規の投資を増やすとされる。

イ ✕：トービンの q 理論では、企業の市場価値が資本の再取得価格を<u>上回る</u>とき、企業は新規の投資を実行するとされる。

ウ ✕：トービンの q 理論では、企業の市場価値が投資費用を<u>上回る</u>とき、企業は新規の投資を増やすとされる。

エ 〇：正しい。企業の市場価値には、今後その企業が得られる利益の大きさ（資本投資の予想収益）が反映されている。たとえば、将来多くの利益を生み出すことが期待されている企業の株価は高くなるようなことである。つまり、「**資本投資の予想収益が投資費用よりも大きい**」とは、企業の市場価値が現存の資本ストックを買い換える費用よりも大きいことを表す。よって、トービンの q が1より大きいため、企業は新規の投資を実行する。

　よって、**エ**が正解である。

第8問

　失業に関する問題である。

ア ✕：完全失業率は、労働力人口に占める完全失業者の割合のことであるが、労働力人口は<u>15歳以上人口</u>のうち、就業者（調査期間の1週間に少しでも仕事をした者）と完全失業者（仕事についておらず、仕事があればすぐつくことのできる者で、求職活動をした者）を合わせたものである。

イ ✕：賃金が伸縮的である場合とは、古典派が想定するケースであり、非自発的失業（現行の賃金で働くことを希望しているにもかかわらず、就業できない労働者の失業）は存在せず、常に完全雇用（非自発的失業が存在しない状態）が実現している状態である。しかし、たとえ完全雇用が実現する状態であっても、**摩擦的失業、構造的失業、自発的失業**は発生するとされている。なお、摩擦的失業とは、転職によって不可避的に生じる失業、構造的失業は経済的構造など外生的な要因にもとづ

く失業、自発的失業は労働者が、現行の賃金では働かないことを選択するために生じる失業のことである。

ウ ✕：循環的失業は、景気循環に応じて発生する失業のことであり、不況期に雇用調整を受けて失業した場合などが該当する。循環的失業は、需要不足失業とよばれ、**総需要の不足によって生じる**。

エ ◯：正しい。選択肢**イ**の解説のとおり、摩擦的失業は完全雇用が実現している状態であっても発生する。

よって、**エ**が正解である。

第9問

価格や賃金の硬直性に関する問題である。価格や賃金の硬直性とは、価格や賃金は変更しにくいという性質のことである。さらに、賃金の下方硬直性とは、賃金（名目賃金率）は低下しにくいという性質のことであり、ケインズ理論では、名目賃金率は下方硬直性をもつため、非自発的失業が存在すると考える。

a ✕：メニュー・コストとは、価格や賃金などの改定にかかる費用のことである。メニュー・コストを引き下げれば、**価格や賃金の改定がしやすくなる**ため、**価格の硬直性の要因になるとはいえない**と考えられる。

b ◯：正しい。効率賃金とは、労働市場の需要と供給から決定される均衡賃金よりも高い賃金のことであり、効率賃金を労働者に支払うことで、労働者の働く意欲が高まり生産性が高まると考える（効率賃金仮説）。労働者の働く意欲等を考慮すれば賃金は下げづらくなるため、賃金の下方硬直性の要因となると考えられる。

c ◯：正しい。選択肢**a**のとおり、多様な価格設定を用意することはメニュー・コストを引き上げる（価格の改訂にかかるコストが大きくなる）ため、価格の硬直性の要因となると考えられる。

d ✕：実質賃金は名目賃金を物価（価格）で除すことで求められる。実質賃金の下方硬直性の要因になるのは、**価格よりも名目賃金が下方硬直的**である場合である。数式でイメージを表現すると以下のとおりである（矢印が少ないほど、変化しにくいことを示している）。

<名目賃金よりも価格が下方硬直的な場合>

$$\frac{W\downarrow\downarrow}{P\downarrow} \Rightarrow \text{実質賃金} \downarrow$$

<価格よりも名目賃金が下方硬直的な場合>

$$\frac{W\downarrow}{P\downarrow\downarrow} \Rightarrow \text{実質賃金} \rightarrow \quad (\text{下方硬直性がある})$$

※ W ＝名目賃金　 P ＝価格　 $\frac{W}{P}$ ＝実質賃金

よって、**b**と**c**の組み合わせである**ウ**が正解である。

貨幣供給に関する問題である。

a　✕：貨幣乗数（信用乗数）とは、マネー・サプライがマネタリー・ベースの何倍になるかを表した数値である。貨幣乗数はcを現金・預金比率、rを準備率とすると以下のように表される。

$$貨幣乗数 = \frac{c+1}{c+r}$$

※c：現金・預金比率　　r：準備率

現金・預金比率とは、流通現金を預金で除したものである。現金・預金比率が大きいということは、通貨を現金で保有せずに預金で保有しようとする人が少ないことを意味し、これは市中銀行が貸出しに回せる金額が小さくなることにつながるため、貨幣乗数は小さくなる。

b　〇：正しい。選択肢**a**の解説のとおり、現金・預金比率が大きくなると、貨幣乗数は小さくなる。

c　✕：売りオペレーション（売りオペ）は、中央銀行が保有する国債などを市中銀行に売却し、その代金を回収することで**マネタリー・ベースを減少させる**金融政策である。

d　〇：正しい。買いオペレーション（買いオペ）は、中央銀行が市中銀行の保有する国債などを買い取り、その代金を支払うことでマネタリー・ベースを増加させる金融政策である。

よって、**b**と**d**の組み合わせである**エ**が正解である。

マンデル＝フレミング・モデルに関する問題である。

●完全資本移動、変動相場制における財政政策の効果⇒無効

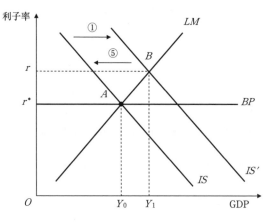

① 拡張的財政政策によりIS曲線が右方にシフトし、国内利子率（ r ）が上昇する。

② 海外から国内へ資本流入が起こる（資本収支は黒字）。

③ 為替市場では、円買いドル売りが進む。

④ 変動相場制のもと、為替レートが円高ドル安になる。

⑤ 輸出が減少、輸入が増加し（経常収支は赤字）、IS曲線が左シフト（生産物市場の需要が減少）する。

⑥ GDPは当初の水準に戻ってしまう。

●完全資本移動、変動相場制における金融政策の効果⇒有効

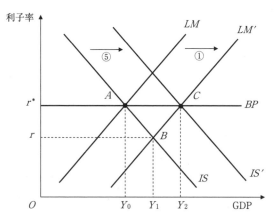

① 拡張的金融政策によりLM曲線が右方にシフトし、国内利子率（ r ）が低下する。

② 国内から海外へ資本流出が起こる（資本収支は赤字）。

③ 為替市場では、円売りドル買いが進む。

④ 変動相場制のもと、為替レートが円安ドル高になる。

⑤ 輸出が増加、輸入が減少し（経常収支は黒字）、IS曲線が右シフト（生産物市場の需要が増加）する。

⑥ GDPが大幅に増加する。

a ○：正しい。

b ✕：金融緩和政策（拡張的金融政策）は、自国通貨**安**による純輸出の**増加**を引き起こす。

c ✕：財政拡大政策（拡張的財政政策）は、自国通貨**高**による純輸出の**減少**を引き起こす。

d ○：正しい。

よって、**a**と**d**の組み合わせである**イ**が正解である。

第12問

余剰分析に関する問題である。生産量がQ_1、Q_2のときの余剰分析を行う。余剰分析にあたり、販売価格に注意したい。市場価格は需要者価格（消費者が支払ってもよいと考える価格）で決定される。これは供給者価格（生産者が希望する販売価格）よりも需要者価格が高ければ、供給者はあえて低い価格には設定せず、需要者が許容する価格で販売するからである。また、供給者価格よりも需要者価格が低ければ、その価格では売れないことになるからである。よって、生産量がQ_1のとき、需要曲線との交点から価格はP_1になり、生産量がQ_2のとき、需要曲線との交点から価格はP_2になる。

＜数量が Q_0 の場合＞

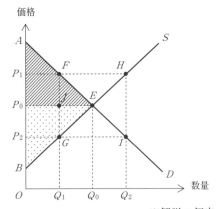

※解説の便宜上、一部加筆・修正。

消費者余剰：$\triangle AEP_0$
$\qquad$（$\square AEQ_0O - \square P_0EQ_0O$）
生産者余剰：$\triangle P_0EB$
$\qquad$（$\square P_0EQ_0O - \square EQ_0OB$）
社会的総余剰：$\triangle AEB$

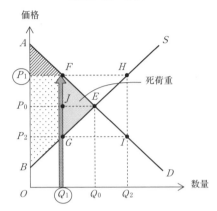

＜数量がQ_1の場合＞

価格：P_1
消費者余剰：$\triangle AFP_1$
$\qquad$（$\square AFQ_1O - \square FQ_1OP_1$）
生産者余剰：$\square FGBP_1$
$\qquad$（$\square P_1FQ_1O - \square BGQ_1O$）
社会的総余剰：$\square AFGB$
※過少供給による死荷重：$\triangle EFG$

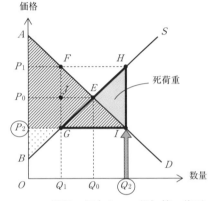

＜数量がQ_2の場合＞

※解説の便宜上、一部加筆・修正。

価格：P_2
消費者余剰：$\triangle AIP_2$
$\qquad$（$\square AIQ_2O - \square P_2IQ_2O$）
生産者余剰：$\triangle P_2GB - \triangle HIG$
$\qquad$（$\square P_2IQ_2O - \square BHQ_2O$）
社会的総余剰：$\triangle AEB - \triangle EHI$
※過大供給による死荷重：$\square EHI$

ア ✕：生産量がQ_1のとき、点Eの場合と比べて、消費者余剰は四角形P_1FEP_0の分だけ少なくなる。三角形EFGの分だけ少なくなるのは、消費者余剰ではなく、**社会的総余剰**である。

イ ✕：生産量がQ_1のとき、点Eの場合と比べて、生産者余剰は（四角形$P_1FJP_0 -$三角形EGJ）の分、変化する。また、**社会的総余剰は三角形EFGの分だけ少なくなる。**

ウ ◯：正しい。

エ ✕：生産量がQ_2のとき、点Eの場合と比べて、生産者余剰は（四角形$P_0EGP_2 +$三角形HIG）の分だけ小さくなる。

$\qquad$よって、**ウ**が正解である。

＜補足＞生産量がQ_2のとき、次図のように領域をあ～しとおいて余剰分析するとわかりやすくなるかもしれない。

消費者余剰＝$\underbrace{(あ＋い＋う＋え＋お＋か＋き＋く＋こ＋さ＋し)}_{\text{消費者が支払うつもりのある額}}－\underbrace{(か＋こ＋さ＋し)}_{\text{実際に支払った額}}$

$\quad\quad\quad\quad=$あ＋い＋う＋え＋お＋き＋く

生産者余剰＝$\underbrace{(か＋こ＋さ＋し)}_{\text{収入}}－\underbrace{(き＋く＋け＋こ＋さ＋し)}_{\text{可変費用}}$

$\quad\quad\quad\quad=$か－き－く－け

社会的総余剰＝$\underbrace{(あ＋い＋う＋え＋お＋き＋く)}_{\text{消費者余剰}}＋\underbrace{(か－き－く－け)}_{\text{生産者余剰}}$

$\quad\quad\quad\quad\quad=$あ＋い＋う＋え＋お＋か－け

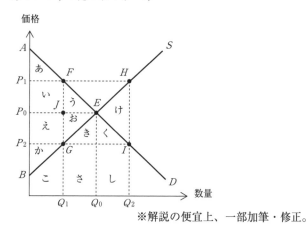

※解説の便宜上、一部加筆・修正。

第13問

予算制約線に関する問題である。まずは、価格および所得の変化による予算制約線
の変化を確認する。

(1) X財の価格の変化　　　(2) Y財の価格の変化　　　(3) 所得の変化

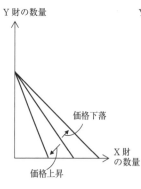

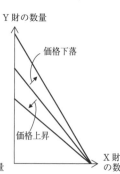

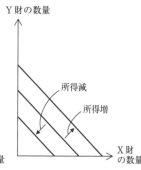

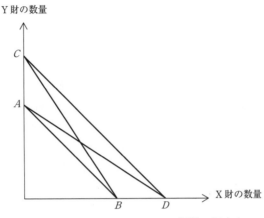

Y財の数量

C

A

B　　D

X財の数量

※解説の便宜上、一部加筆・修正。

ア ○：正しい。

イ ✕：予算線*AB*は、この家計の所得を一定としてX財とY財の価格が同じ率で下落すると、*CD*に平行移動する。たとえば、X財の価格は3,000円、Y財の価格が5,000円であるとし、2つの財に支出できる所得が60,000円であるとする。このとき、所得全部を使って購入できるX財の量は20個、Y財の量は12個である。所得を一定にして、それぞれの財の価格を半分（50％下落）にすると、所得全部を使って購入できるX財の量は40個、Y財の量は24個である。下の図のようにX財とY財の価格が同じ率で下落すると、外側に平行移動することがわかる。

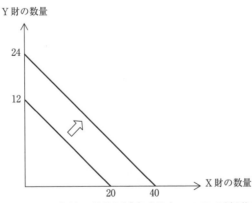

Y財の数量

24

12

20　40

X財の数量

ウ ✕：予算線*CD*は、この家計の所得が減少すると、*AB*に平行移動する。

エ ✕：予算線*CD*は、この家計の所得とY財の価格を一定としてX財の価格が上昇すると、*CB*へと移動する。

よって、**ア**が正解である。

解答・解説

2年度

229

完全補完財の無差別曲線に関する問題である。Y財の価格上昇に対して、X財の需要量が減少するものを補完財というが、補完財のうち、2財が完全な補完関係にあるものを完全補完財という。完全補完財の例として、右足の靴と左足の靴がある。右足の靴と左足の靴は同数でないと効用が得られず、右足の靴のみを増加させても効用は上昇しない。

この消費者は、ワッフル1個に対して、ハンバーガーを2個消費することが最適な財の消費比率であり、たとえハンバーガーを2個、3個……と増やしても同じ無差別曲線上であるため、効用は変わらないことがわかる。

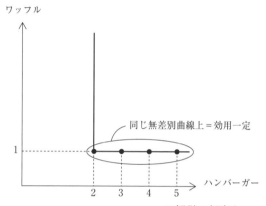

※解説の便宜上、一部加筆・修正。

よって、**ウ**が正解である。

スルツキー分解に関する問題である。労働の時間が増加すれば余暇の時間が減少するというように、両者に費やせる時間がトレードオフの関係にあることに注意したい。

問題文およびグラフより、下記の内容が読み取れる。

① 実質所得の増加（予算制約線がABから$A'B$に変化している。）

② 価格効果、代替効果、所得効果

●価格効果：点E→点Fへの変化

（余暇：L_0→L_1へ減少、所得：I_0→I_1へ増加）

●代替効果：点E→点Gへの変化

（余暇：L_0→L_2へ減少、所得：I_0→I_2へ増加）

●所得効果：点G→点Fへの変化

（余暇：L_2→L_1へ増加、所得：I_2→I_1へ増加）

実質所得の増加にともない、消費量が増加しているため、余暇は正常財（上級財）

であることがわかる。

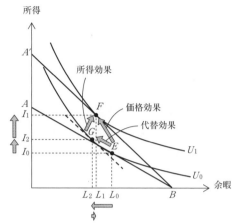

※解説の便宜上、一部加筆・修正。

ア ✕：点 E から点 G への変化は賃金の上昇によって、時間の配分が余暇から労働に切り替えられた部分であり、「代替効果」である。

イ 〇：正しい。

ウ ✕：点 G から点 F への変化は、実質所得の増加によって、正常財としての余暇の需要が**増加**する部分である。「所得効果」であることは正しい。

エ ✕：選択肢**ウ**を参照。

　　　よって、**イ**が正解である。

第16問

　生産関数に関する問題である。労働の限界生産物とは、労働を 1 単位増加させたときに増加する生産量であり、生産関数への接線の傾きの大きさで表される。

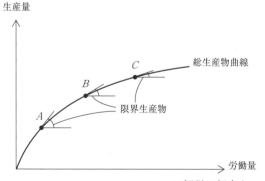

※解説の便宜上、一部加筆・修正。

図のように、労働量が増加するにしたがって、生産関数への接線の傾きの大きさは徐々に小さくなっている（逓減している）。このことは、縦軸が労働の限界生産物、横軸が労働量のグラフにおいては、右下がりに表される。

　よって、**ア**が正解である。

第17問

　余剰分析（補助金の効果）に関する問題である。生産者は補助金をあてることにより、可変費用が低下するので、供給曲線が1単位当たりの補助金の分だけ、下方にシフトする。補助金交付前の均衡点はE、補助金交付後の均衡点はGとなる。

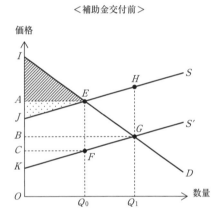

＜補助金交付前＞

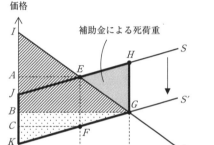

＜補助金交付後＞

※解説の便宜上、一部加筆・修正。

価　　　格：A	価　　　格：B
生　産　量：Q_0	生　産　量：Q_1
消費者余剰：$\triangle IAE$	消費者余剰：$\triangle IBG$
（□IOQ_0E－□AOQ_0E）	（□IOQ_1G－□BOQ_1G）
生産者余剰：$\triangle AJE$	生産者余剰：$\triangle BKG$
（□AOQ_0E－□JOQ_0E）	（□BOQ_1G－□KOQ_1G）
政府余剰：なし	政府余剰：－□$JKGH$
	（$HG \times OQ_1$）
社会的総余剰：$\triangle IJE$	社会的総余剰：$\triangle IJE$－$\triangle HEG$
	※補助金による死荷重：$\triangle HEG$

a　✕：政府が交付した補助金は「1単位当たりの補助金額（HG）×数量（OQ_1）」であるため、四角形$JKGH$である。

b　○：正しい。消費者の余剰は三角形IAEから三角形IBGになり、四角形$ABGE$だけ増加する。

c　✕：総余剰は三角形HEGだけ減少する。

d ○：正しい。農家（生産者）の余剰は三角形*AJE*から三角形*BKG*になる。四角形*JKFE*は平行四辺形であるため、三角形*AJE*と三角形*CKF*は合同になる。つまり、農家の余剰は三角形*CKF*から三角形*BKG*になるといえ、四角形*BCFG*だけ増加することになる。

よって、**b**と**d**の組み合わせである**エ**が正解である。

第18問

外部不経済に関する問題である。外部不経済が存在する状況では、市場の自由な取引に任せていては社会的に望ましい生産量は実現できない。そこで、社会的限界費用と私的限界費用の乖離分だけ、税金を課し、外部不経済を発生させている主体に社会的な費用を負担させるために税を課すことで、社会的総余剰を最大化する。課税により、生産者（観光業者）の限界費用が課税の分だけ上昇し、生産者の私的限界費用と社会的限界費用が一致する（供給曲線がSからS'になる）。

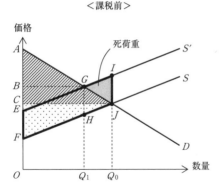

＜課税前＞

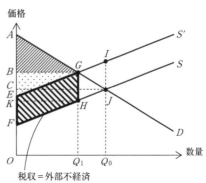

＜課税後＞

※解説の便宜上、一部加筆・修正。

価　格：C	価　格：B
生産量：Q_0	生産量：Q_1
消費者余剰：$\triangle ACJ$	消費者余剰：$\triangle ABG$
（$\square AOQ_0J - \square COQ_0J$）	（$\square AOQ_1G - \square BOQ_1G$）
生産者余剰：$\triangle CFJ$	生産者余剰：$\triangle BEG$
（$\square COQ_0J - \square FOQ_0J$）	（$\square BOQ_1G - \square EOQ_1G$）
外部不経済：$\square EFJI$	外部不経済：$\square EFHG$
政府余剰：なし	政府余剰：$\square EFHG$
	（$HG \times OQ_1$）

社会的総余剰：$\triangle AEG - \triangle GJI$	社会的総余剰：$\triangle AEG$
※外部不経済による死荷重：$\triangle GJI$	

a ○：正しい。課税によって、消費者余剰（観光客の余剰）は三角形*ACJ*から三角

233

形ABGになり、四角形$BCJG$だけ減少する。

b ✕：生産者余剰（観光業者の余剰）は三角形CFJから三角形BEGになる。四角形$EFHG$は平行四辺形であるため、三角形BEGと三角形KFHは合同になる。つまり、観光業者の余剰は三角形CFJから三角形KFHになるといえ、**四角形$CKHJ$だけ減少することになる。**

c 〇：正しい。総余剰は（三角形AEG－三角形GJI）から三角形AEGになり、三角形GJIだけ増加する。

d ✕：課税によって、政府は四角形$EFHG$の税収を得る。

よって、**a**と**c**の組み合わせである**イ**が正解である。

従価税の課税に関する問題である。従価税とは、消費税等のように価格の何％かを支払うという税である。t の従価税は限界費用を$(1+t)$倍増加させることになる。価格が高いほど$(1+t)$倍の値が大きくなるため、課税前の供給曲線より大きく限界費用が増加することになる。本問では税収を問われているが、イメージをつけるために具体的な数字で考える。

（例）従価税が10％のときの税収の推移

数量	1	2	3	4	5
価格	100	200	300	400	500
税額	10	20	30	40	50
税収	10	40	90	160	250

※税額＝価格×10％
　税収＝税額×数量

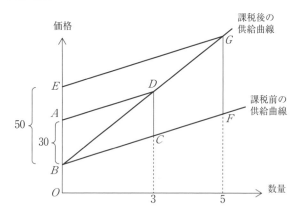

※数量が3のときの税額は AB（30）、税収は四角形 $ABCD$（90＝30×3）
　数量が5のときの税額は EB（50）、税収は四角形 $EBFG$（250＝50×5）

また、超過負担とは課税によって生じる資源配分上の損失のことであり、死荷重（死重損失）のことである。

以上をふまえて余剰分析をしていく。

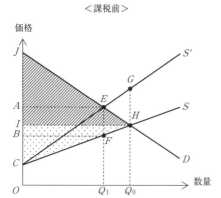

＜課税前＞

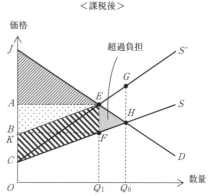

＜課税後＞

※解説の便宜上、一部加筆・修正。

価　　　格：I
生　産　量：Q_0
消費者余剰：$\triangle JIH$
$(\square JOQ_0H - \square IOQ_0H)$
生産者余剰：$\triangle ICH$
$(\square IOQ_0H - \square COQ_0H)$
政　府　余　剰：なし

社会的総余剰：$\triangle JCH$

価　　　格：A
生　産　量：Q_1
消費者余剰：$\triangle JAE$
$(\square JOQ_1E - \square AOQ_1E)$
生産者余剰：$\triangle AKE$
$(\square AOQ_1E - \square KOQ_1E)$
政　府　余　剰：$\square ABFE$ $(\square KCFE)$
$(EF \times OQ_1)$

社会的総余剰：$\square JCFE$

※課税による超過負担：$\triangle EFH$

以上のことより、税収は四角形$ABFE$、超過負担は三角形EFHである。

よって、**ア**が正解である。

第20問

独占的競争市場に関する問題である。独占的競争とは、以下のような競争モデルをいう。

1) 企業は多数存在し、各企業のシェアは小さい。

2) 各企業の製品は差別化されており、各企業は自社製品に対し、価格支配力をもつ。

3) 長期的には、市場への参入・退出が自由である。

・短期の独占的競争均衡

　各企業が、独占企業と同様の利潤最大化行動をとる。

・長期の独占的競争均衡

超過利潤が生じているような状況では、それを狙って新規に企業が参入し、密接な代替財を供給することになるため、この企業の財への需要は減少し、結局、長期の均衡では超過利潤は生じなくなる。

a ✕：周囲の居酒屋との競争により、需要が減少する。

b 〇：正しい。

c 〇：正しい。

d ✕：プライス・テイカーとは自らの行動が市場価格に影響を与えず、市場で決まる価格を受け入れるしかない経済主体のことである。独占的競争市場のモデルでは各企業の製品は差別化されており、各企業は自社製品に対し、価格支配力をもつ。よって、**b**と**c**の組み合わせである**ウ**が正解である。

第21問

費用逓減産業に関する問題である。費用逓減産業とは、莫大な固定費が必要となるため、実際に実現し得る需要規模のもとでは平均費用が右下がり（逓減）になるような産業のことである。費用逓減産業において市場内で最も生産量が多い企業は、他の企業と比べて有利な費用条件で生産できるため、独占化が進む。また、鉄道等のように複数の企業よりも供給企業を限定させたほうが効率的である。このような理由から費用逓減産業では参入を1社（あるいは少数）に抑えると同時に、独占的な行動をしないように規制を行う。規制には「価格＝限界費用」となる水準に価格規制を行う限界費用価格規制と「価格＝平均費用」となる水準に価格規制を行う平均費用価格規制がある。

限界費用価格規制は完全競争市場で成立する価格と生産量になるため、社会的総余剰が最大化されるが、企業は独立採算を確保できない。また、平均費用価格規制は、企業は独立採算を確保できるが、生産量が社会的に最適な生産量より過少になる。この限界費用価格規制と平均費用価格規制の長所を取り入れたものが二部料金制である。これは、消費量とは無関係に一定の金額を徴収する一方で、消費量に応じて料金を徴収する方法である。限界費用価格形成原理にもとづく消費量に応じた料金設定をすることにより、最適な資源配分を実現しつつ、利潤がマイナスとなる部分については、基本料金によりカバーすることにより、独立採算を確保することがねらいである。

<生産量が Q_0 のときの余剰>

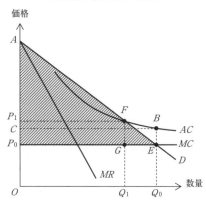

<生産量が Q_0 のときの収支>

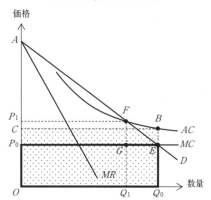

※解説の便宜上、一部加筆・修正。

価　　　格：P_0
消費者余剰：$\triangle AEP_0$
$\quad\quad\quad\quad(\square AEQ_0O - \square EQ_0OP_0)$
生産者余剰：なし
$\quad\quad\quad\quad(\square EQ_0OP_0 - \square EQ_0OP_0)$
社会的総余剰：$\triangle AEP_0$

価格：P_0
収入：$\square P_0EQ_0O$
$\quad\quad(P_0O \times OQ_0)$
費用：$\square CBQ_0O$
$\quad\quad(CO \times OQ_0)$
損失：$\square P_0EBC$

<生産量が Q_1 のときの余剰>

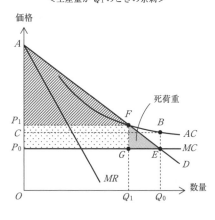

死荷重

<生産量が Q_1 のときの収支>

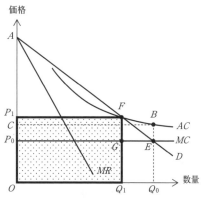

※解説の便宜上、一部加筆・修正。

価　　　格：P_1
消費者余剰：$\triangle AFP_1$
$\quad\quad\quad\quad(\square AFQ_1O - \square FQ_1OP_1)$
生産者余剰：$\square FGP_0P_1$
$\quad\quad\quad\quad(\square FQ_1OP_1 - \square GQ_1OP_0)$
社会的総余剰：$\square AFGP_0$
※死荷重：$\triangle FEG$

価格：P_1
収入：$\square P_1FQ_1O$
$\quad\quad(P_1O \times OQ_1)$
費用：$\square P_1FQ_1O$
$\quad\quad(P_1O \times OQ_1)$
損失：なし

以上のことから、生産量がQ_0（限界費用価格規制）のとき、最適（社会的総余剰が最大）な生産水準であることが確認でき、損失部分である四角形P_0EBCが、消費者が均等に負担する基本料金でカバーする部分である。

よって、**イ**が正解である。

ゲーム理論に関する問題である。

● 太郎さんの意思決定

① 花子さんが「協力する」を選択することを想定した場合
- 「協力する」を選択 →「30」の利得
- 「相手に任せる」を選択 →「50」の利得

→太郎さんは、「相手に任せる」を選択する。 ←―――――

② 花子さんが「相手に任せる」を選択することを想定した場合
- 「協力する」を選択 →「－30」の利得
- 「相手に任せる」を選択 →「－10」の利得

→太郎さんは、「相手に任せる」を選択する。 ←―――――

太郎さんは、花子さんの選択にかかわらず、「相手に任せる」を選択する。
→「相手に任せる」は太郎さんの支配戦略となる。

● 花子さんの意思決定

① 太郎さんが「協力する」を選択することを想定した場合
- 「協力する」を選択 →「30」の利得
- 「相手に任せる」を選択 →「50」の利得

→花子さんは、「相手に任せる」を選択する。 ←―――――

② 太郎さんが「相手に任せる」を選択することを想定した場合
- 「協力する」を選択 →「－30」の利得
- 「相手に任せる」を選択 →「－10」の利得

→花子さんは、「相手に任せる」を選択する。 ←―――――

花子さんは、太郎さんの選択にかかわらず、「相手に任せる」を選択する。
→「相手に任せる」は花子さんの支配戦略となる。

ア ○：正しい。支配戦略とは、相手の戦略に関係なく1つに決まる自らの戦略のことである。太郎さんと花子さんは「相手に任せる」という共通の支配戦略がある。

イ ✕：本肢では、どの状態（両者が協力するもしくは相手に任せる）から考えるの

か、誰の利得（または両者）が増加するかを明示していないため、場合分けして検討してみる。太郎さんと花子さんが「相手に任せる」を選択している状態から、太郎さんが「協力する」を選択すると太郎さんの利得は「－10」から「－30」となり、利得は減少する。また、太郎さんと花子さんが「協力する」を選択している状態から、太郎さんが「相手に任せる」を選択すると太郎さんの利得は「30」から「50」となり、利得は増加するが、花子さんの利得は「30」から「－30」となり、利得は減少する。

ウ　✕：最適反応とは、プレイヤーが自らの利得を最大にするために最適な戦略をとることである。太郎さんも花子さんも**最適反応は「相手に任せる」**である。

エ　✕：ナッシュ均衡とは、各プレイヤーが最適反応をとりあっている状態であり、本問ではともに「相手に任せる」組み合わせである。

よって、**ア**が正解である。

第23問

　貢献基準に関する問題である。公正性は何をもって公正とするかにおいていくつかの基準がある。貢献基準（貢献原則）とは、問題文にあるように「生産活動における各人の貢献の度合いに応じて所得を分配」することが、公正であると考えるものである。

a　✕：貢献基準では生産活動における各人の度合いに応じて所得を分配するため、すべての人々が平等に所得を得ることではなく、各人が市場原理等に従った最適な行動を前提としている。

b　○：正しい。熟練労働者のほうが未熟練労働者よりも生産力が高く、貢献の度合いが大きいと考えられるため、所得が多く分配される。つまり、賃金水準が高くなると考えられる。

c　✕：貢献基準は各人の貢献の度合いに応じて所得を分配するため、資産の保有は考慮されてはいないと考えられる。

d　○：正しい。社会的弱者は強者と比べて生産力が低く、貢献の度合いが小さいと考えられるため、所得が小さくなると考えられる。現状では社会的弱者を救済するために、所得再分配などのしくみが設けられている。

よって、**b**と**d**の組み合わせである**エ**が正解である。

参考資料 出題傾向分析表

		R 2	R 3
第1章	費用関数		
	費用に関する諸概念		
	利潤最大化行動		
	供給曲線		
	課税の効果	従価税⑲	
	生産関数によるアプローチ	生産関数⑯	
第2章	効用関数	無差別曲線⑭	無差別曲線⑮
	予算制約	予算制約線⑬	
	効用最大化		
	需要曲線		
	需要の所得弾力性		需要の所得弾力性 ❹ ⑰
	需要の価格弾力性	完全補完財⑭	
	代替効果と所得効果	スルツキー分解（余暇と所得）⑮	代替効果⑯
	期待効用仮説		
第3章	市場均衡	プライステイカー⑳	需要曲線、供給曲線のシフト⑬ ⑭
	市場の調整過程		
	余剰分析	余剰分析⑫ 余剰分析（補助金）⑰	補助金⑱
	パレート効率性		
	国際貿易		
	自由貿易の理論		自由貿易㉓
第4章	不完全競争市場	プライステイカー⑳	
	独占市場		独占市場⑲
	寡占市場	ゲーム理論㉒	
	独占的競争市場	独占的競争⑳	

※出題領域の区分は、弊社「2025年度版　最速合格のためのスピードテキスト」に準拠したものです。
※表中の項目名とともに付されている白抜き数字は、本試験における問題番号となります。

R 4	R 5	R 6
費用関数[15]	平均費用[14] 平均可変費用[14] 限界費用[14]	
利潤最大化条件[15]		損益分岐点・操業停止点[16]
	供給曲線[12] 供給の価格弾力性[12]	
	エンゲル曲線[16]	需要の所得弾力性[14]
代替財、補完財と需要曲線のシフト[13] 需要の価格弾力性[14]		需要の価格弾力性[13]
等費用線、等産出量曲線[16]	等産出量曲線[15]	等費用線・等産出量曲線[15]
代替財、補完財と需要曲線のシフト[13]	供給曲線のシフト[12]	
消費者余剰[11] 生産者余剰[12]	消費者余剰[12] 価格規制における余剰分析[13]	生産者余剰[16]
比較生産費説[18]		比較生産費説[22]
	自由貿易[21]	
完全競争と不完全競争市場の特徴[17]		
		独占[17]
ゲーム理論[20]	ゲーム理論[22]	

		R 2	R 3
第5章	市場機構の長所と市場の失敗		
	外部効果	外部不経済⓲	
	公共財		公共財㉑
	情報の不完全性		
	費用逓減産業（自然独占）	2部料金制㉑	2部料金制⓴
その他のミクロ経済学の論点		貢献基準㉓	
第6章	GDP（国内総生産）	国民経済計算 3	帰属計算 3
	物価指数		
	景気動向指数		
第7章	財市場（生産物市場）		
	消費関数	貯蓄 4	絶対所得仮説 4
	均衡国民所得の決定（閉鎖経済、政府部門・定額税を考慮するケース）	均衡GDP4	
	乗数理論		乗数理論 5 外国貿易乗数 9
	需給ギャップ（GDPギャップ）	デフレギャップ 5	
	IS曲線	投資の利子率弾力性 6	
第8章	貨幣供給	貨幣乗数⓵⓪ 公開市場操作⓵⓪	
	貨幣需要		貨幣乗数 7
	LM曲線		
	IS-LM分析	IS-LM分析 6	金融政策の効果 6 8
第9章	AD曲線（総需要曲線）		
	労働市場とAS曲線（総供給曲線）	賃金の下方硬直性 9	労働市場㉒
	AD-AS曲線		
	失業	失業 8	労働力人口⓵⓵

※出題領域の区分は、弊社「2025年度版　最速合格のためのスピードテキスト」に準拠したものです。
※表中の項目名とともに付されている白抜き数字は、本試験における問題番号となります。

R 4	R 5	R 6
	外部不経済の内部化[17]	外部不経済[18]
		公共財[19]
逆選択[21]	モラルハザード[18]	
	費用逓減産業[19]	
資本移動の自由化[19]	需要独占[20]	負の所得税の効果[21]
帰属計算[3]	帰属計算[4]	国民経済性計算[4]
	物価指数[5] 名目GDP・実質GDP[5]	
	景気動向指数[6]	
		消費関数[5]
総需要線[6]	総需要線[7]	
政府支出乗数[5]	投資乗数[7]	租税乗数[7] ビルトイン・スタビライザー[8]
デフレギャップ[6]		
	IS曲線[8]	
	国債[11]	貨幣需要[6]
	LM曲線[8]	
	流動性のわな[11]	IS-LM 分析[11]
古典派モデル[7]		労働市場[20]
古典派モデル[7]		実質 GDP[11]
自然失業率仮説[10]		自然失業率仮説[12]

		R 2	R 3
第10章	消費に関する理論		恒常所得仮説 **4**
	投資に関する理論	トービンの q**7**	
	金融政策に関する理論		貨幣数量式 **8** k％ルール **8**
第11章	為替レート		
	国際収支		
	マンデル＝フレミングモデル	マンデル＝フレミングモデル（変動相場制・完全資本移動）**11**	マンデル＝フレミングモデル（変動相場制・完全資本移動）**10**
第12章	景気循環と経済成長		
	景気循環／経済成長に関する理論		成長会計**12**
	内生的経済成長理論		
その他のマクロ経済学の論点		政策金利の推移の国際比較 **1** 日本の貿易相手国 **2**	実質国内総生産の推移 **1** 国債等の保有者別内訳 **2**

※出題領域の区分は、弊社「2025年度版　最速合格のためのスピードテキスト」に準拠したものです。
※表中の項目名とともに付されている白抜き数字は、本試験における問題番号となります。

R 4	R 5	R 6
絶対所得仮説 **4**		
	為替レート**9**	為替レート **9**
	経常収支**2**	
	BP曲線**10** マンデル＝フレミングモデル**10**	マンデル＝フレミングモデル**10**
景気循環 **8**		
ジニ係数 **1** 日本の実質 GDP 成長率と各需要 項目の前年度比寄与度 **2** 金利平価説 **9**	各国地域のGDP比率**1** 日米の家計金融資産**3**	2022 年の名目国内総支出の内訳 **1** 1 人当たり労働生産性の推移 **2** 消費者物価の推移 **3**

ちゅうしょうきぎょうしんだんし　　ねんどばん
中小企業診断士　2025年度版

さいそくごうかく　　　　　　　だいじっしけんかこもんだいしゅう　　けいざいがく　けいざいせいさく
最速合格のための第1次試験過去問題集　[4]　経済学・経済政策

（2005年度版　2005年3月15日　初版　第1刷発行）
2024年12月2日　初　版　第1刷発行

編　著　者　　Ｔ　Ａ　Ｃ　株　式　会　社
　　　　　　　　　　　　　（中小企業診断士講座）
発　行　者　　多　　田　　敏　　男
発　行　所　　Ｔ　Ａ　Ｃ株式会社　出版事業部
　　　　　　　　　　　　　　　　　　（TAC出版）

〒101-8383
東京都千代田区神田三崎町3-2-18
電話　03(5276)9492(営業)
FAX　03(5276)9674
https://shuppan.tac-school.co.jp

印　　　刷　　株式会社　ワ　コ　ー
製　　　本　　株式会社　常　川　製　本

© TAC 2024　　　Printed in Japan
ISBN 978-4-300-11418-6
N.D.C. 335

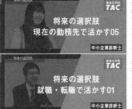

中小企業診断士講座のご案内

ストレート合格を目指す！
TACを選ぶメリット。それは"効率性"！

学習効果が高まるよう編成された質の高いカリキュラム・講師・教材で構成されるTACのコースを受講することで、無理なく実力をつけることができ、効率的に1・2次試験のストレート合格を狙えます。

戦略的カリキュラム
INPUT&OUTPUTの連動・繰返し学習が効果的！
ムリ・ムダを省いた必要十分な学習量！

専門校を
利用する
メリット！

2次試験合格の秘訣
スケールメリットが合格の可能性を高める！
新作演習問題・添削指導も充実！

充実のフォロー体制
安心して学習できる環境を整備！
学習メディア別に充実したサポート！

全科目のINPUT（知識習得）とOUTPUT（問題演習）を組み合わせたオールインワンコース「1・2次ストレート本科生」「1・2次速修本科生」を開講しています。

2025年合格目標コース ～豊富なコース設定で効率学習をサポート～

	2024年				2025年										
	9月	10月	11月	12月	1月	2月	3月	4月	5月	6月	7月	8月	9月	10月	11月

初学者
- **1・2次ストレート本科生** ※1次試験までの1次本科生有
- **1・2次速修本科生** ※1次試験までの1次速修本科生有

経験者
- **1・2次上級本科生**
- **2次本科生A・B**
- **2次演習本科生A・B**

第1次試験（8月）
第2次試験（11月）

◆ 2次実力チェック模試　3/1～案内開始➡　●5/4(日)予定
◆ 1次公開模試　5/中～案内開始➡　●6/28(土)・29(日)予定
◆ 2次公開模試　7/上～案内開始➡　●9/7(日)予定

※模試の会場受験にはお席に制限がございます。2次公開模試の会場受験は本科生のみとなり、単科での申込は自宅受験となります。

≪オプション講座≫ ※名称は変更となる場合がございます。日程は予定です。
- ●1次重要過去問チェックゼミ（経営・財務・運営・経済）‥‥▶3/中旬案内開始
- ●1次「財務・会計」特訓ゼミ‥‥‥‥‥‥‥‥‥▶3/中旬案内開始
- ●1次「経済学」解法テクニックゼミ‥‥‥‥‥‥▶3/中旬案内開始
- ●2次事例Ⅳ特訓‥‥‥‥‥‥‥‥▶8/上旬案内開始
- ●2次事例別過去問対策講義‥‥▶8/上旬案内開始

※詳細は、案内開始時期にTACホームページおよび資料をご請求ください。

TAC中小企業診断士パンフレット

- ・ 戦略的カリキュラム
- ・ 学習メディア・フォロー制度
- ・ 開講コース・受講料
- ・ 無料体験入学のご案内

など

資格&試験ガイド

- ・ 中小企業診断士の魅力
- ・ 実務家インタビュー
- ・ 試験ガイド
- ・ 学習プラン

など

TAC合格者の声

祝賀会・東京会場

表面的な理解ではなく、根本から理解をすることができた

「財務・会計」が苦手で1年目に独学で勉強していた際には理解しないまま試験を受けておりました。そこでTACに通学し、わからない箇所を講師の方に聞くことで、表面的な理解ではなく、根本から理解をすることができました。また、講義の中で効率的な勉強方法をご教示いただき、勉強への取り組み方を身につけることができました。TACを選んだ理由は、①生徒数が多く、合格ノウハウが集まっている、②一次試験から二次口述試験までのカリキュラムが組まれているため、試験ごとの情報収集や模試の検討などの手間が省けると感じたからです。

長山 萌音さん

TACを活用し本来行うべき学習に集中して労力を割く

学習開始が12月上旬だったため、1,000時間の逆算が成り立たず、合格の為に効率を求めたこと、初回の受験で全体像を把握しながら学習ができるガイドラインや合格の為のノウハウを徹底的に仕入れたかったため、TACのWeb通信講座を受講しました。講義動画がリリースされるタイミングや、各科目のまとめテストの「養成答練」の提出期限も含め、すべてTACのノウハウに基づいてスケジュール化されています。その為、進度管理には労力をかけず、TACが敷いてくれた時間軸のレールの上で本来行うべき学習に集中して労力を割くことができました。

中尾 文哉さん

中小企業診断士講座のご案内

学習したい科目のみのお申込みができる、学習経験者向けカリキュラム

1次上級単科生（応用+直前編）

- □ 必ず押さえておきたい論点や合否の分かれ目となる論点をピックアップ！
- □ 実際に問題を解きながら、解法テクニックを身につける！
- □ 習得した解法テクニックを実践する答案練習！

カリキュラム ※講義の回数は科目により異なります。

← 1次応用編 2024年10月～2025年4月 → ← 1次直前編 2025年5月～ →

1次試験【2025年8月】

1次上級講義
[財務5回／経済5回／中小3回／その他科目各4回]

講義140分／回

過去の試験傾向を分析し、頻出論点や重要論点を取り上げ、実際に問題を解きながら知識の再確認をするとともに、解法テクニックも身につけていきます。

[使用教材]
1次上級テキスト（上・下巻）（デジタル教材付）

→INPUT←

1次上級答練
[各科目1回]

答練60分＋解説80分

1次上級講義で学んだ知識を確認・整理し、習得した解法テクニックを実践する答案練習です。

[使用教材]
1次上級答練

←OUTPUT→

1次完成答練
[各科目2回]

答練60分＋解説80分／回

重要論点を網羅した、TAC厳選の本試験予想問題による答案練習です。

[使用教材]
1次完成答練

←OUTPUT→

1次最終講義
[各科目1回]

講義140分／回

1次対策の最後の総まとめです。法改正などのトピックを交えた最新情報をお伝えします。

[使用教材]
1次最終講義レジュメ

→INPUT←

1次養成答練 [各科目1回] ※講義回数には含まず。
基礎知識の確認を図るための1次試験対策の答案練習です。

（配布のみ・解説講義なし・採点あり）

←OUTPUT→

さらに！ 「1次基本単科生」の教材付き！（配付のみ・解説講義なし）

◇基本テキスト（デジタル教材付）　◇講義サポートレジュメ　◇1次養成答練　◇トレーニング　◇1次過去問題集

開講予定月

- ◎企業経営理論／10月
- ◎財務・会計／10月
- ●運営管理／10月
- ◎経済学・経済政策／10月
- ◎経営情報システム／10月
- ◎経営法務／11月
- ◎中小企業経営・政策／11月

学習メディア

📝 教室講座　　📱 ビデオブース講座　　💻 Web通信講座

1科目から申込できます！ ※詳細はホームページまたは資料をご請求ください。（右上参照）

受験対策書籍のご案内　　TAC出版

1次試験への総仕上げ

科目別 全7巻
①企業経営理論
②財務・会計
③運営管理
④経済学・経済政策
⑤経営情報システム
⑥経営法務
⑦中小企業経営・中小企業政策

最速合格のための
第1次試験過去問題集

A5判　12月刊行
● 過去問は本試験攻略の上で、絶対に欠かせないトレーニングツールです。また、出題論点や出題パターンを知ることで、効率的な学習が可能となります。

全2巻
1日目
（ 経済学・経済政策、財務・会計、 ）
（ 企業経営理論、運営管理 ）
2日目
（ 経営法務、経営情報システム、 ）
（ 中小企業経営・中小企業政策 ）

最速合格のための
要点整理ポケットブック

B6変形判　1月刊行
● 第1次試験の日程と同じ科目構成の「要点まとめテキスト」です。コンパクトサイズで、いつでもどこでも手軽に確認できます。買ったその日から本試験当日の会場まで、フル活用してください！

2次試験への総仕上げ

最速合格のための
第2次試験過去問題集

B5判　2月刊行

● 問題の読み取りから解答作成の流れを丁寧に解説しています。抜き取り式の解答用紙付きで実践的な演習ができる1冊です。

第2次試験 事例Ⅳの解き方

B5判　**好評発売中**

● テーマ別に基本問題・応用問題・過去問を収載。TAC現役講師による解き方を紹介しているので、自身の解答プロセスの構築に役立ちます。

第2次試験 外さない答案への攻略ロードマップ

B5判　**好評発売中**

● 演習に加えて、テーマ設定、プロセス確認、出題者の意図の確認、出題者の立場での採点などを行うことにより、2次試験への対応力を高め不合格を回避できる力を身につけることができます。

TACの書籍は
こちらの方法で
ご購入いただけます

1 全国の書店・大学生協　**2** TAC各校 書籍コーナー　**3** インターネット

CYBER TAC出版書籍販売サイト
BOOK STORE　アドレス **https://bookstore.tac-school.co.jp/**

・2024年7月現在　・価格等詳細は、決定しだい上記のサイバーブックストアに掲載されますのでご参照ください

書籍の正誤に関するご確認とお問合せについて

書籍の記載内容に誤りではないかと思われる箇所がございましたら、以下の手順にてご確認とお問合せをしてくださいますよう、お願い申し上げます。

なお、正誤のお問合せ以外の書籍内容に関する解説および受験指導などは、一切行っておりません。
そのようなお問合せにつきましては、お答えいたしかねますので、あらかじめご了承ください。

1 「Cyber Book Store」にて正誤表を確認する

TAC出版書籍販売サイト「Cyber Book Store」の
トップページ内「正誤表」コーナーにて、正誤表をご確認ください。

CYBER TAC出版書籍販売サイト
BOOK STORE

URL：https://bookstore.tac-school.co.jp/

2 ①の正誤表がない、あるいは正誤表に該当箇所の記載がない
⇒ 下記①、②のどちらかの方法で文書にて問合せをする

★ご注意ください★

お電話でのお問合せは、お受けいたしません。

①、②のどちらの方法でも、お問合せの際には、「お名前」とともに、
「対象の書籍名（○級・第○回対策も含む）およびその版数（第○版・○○年度版など）」
「お問合せ該当箇所の頁数と行数」
「誤りと思われる記載」
「正しいとお考えになる記載とその根拠」
を明記してください。

なお、回答までに１週間前後を要する場合もございます。あらかじめご了承ください。

① ウェブページ「Cyber Book Store」内の「お問合せフォーム」より問合せをする

【お問合せフォームアドレス】

https://bookstore.tac-school.co.jp/inquiry/

② メールにより問合せをする

【メール宛先　TAC出版】

syuppan-h@tac-school.co.jp

※土日祝日はお問合せ対応をおこなっておりません。
※正誤のお問合せ対応は、該当書籍の改訂版刊行月末日までといたします。

乱丁・落丁による交換は、該当書籍の改訂版刊行月末日までといたします。なお、書籍の在庫状況等により、お受けできない場合もございます。
また、各種本試験の実施の延期、中止を理由とした本書の返品はお受けいたしません。返金もいたしかねますので、あらかじめご了承くださいますようお願い申し上げます。

（2022年7月現在）